EL CÓNSUL GENERAL BERNARDO ROLLAND DE MIOTA Y LOS SEFARDÍES DE PARÍS DURANTE LA SEGUNDA GUERRA MUNDIAL

MATILDE MORCILLO ROSILLO

Autora:
© Matilde Morcillo Rosillo

Coordinación:
Elena Castelli

Edita:
RIOPIEDRAS EDICIONES
Parque 41-43. 50007 Zaragoza
Tel. 976 27 29 07
E-mail: riopiedras@certeza.com
www.riopiedras-ediciones.com

Fotografía de portada: United States Holocaust Memorial Museum,
por cortesía de Serge.

fotografía de contraportada: https://de.wikipedia.org/wiki/Judenstern

ISBN: 978-84-7213-207-8
Dep. Legal: Z 1127-2016

Imprime: Ulzama Digital

EL CÓNSUL GENERAL BERNARDO ROLLAND DE MIOTA Y LOS SEFARDÍES DE PARÍS DURANTE LA SEGUNDA GUERRA MUNDIAL

Bernardo Rolland de Miota

Prólogo

En el ejercicio de mis distintas funciones dentro del Centro Sefarad-Israel he dedicado un esfuerzo especial a algo por lo que siento una predilección personal: la labor salvadora que los diplomáticos españoles llevaron a cabo en los años convulsos y brutales de la Europa desangrada por la Segunda Guerra Mundial.

Esa predilección se apoya en dos argumentos principales: en primer lugar, mi condición de miembro de la Carrera Diplomática hace que sienta un especial orgullo por unos compañeros que llevaron el ejercicio de la profesión a un grado excelso.

En segundo término, comparto plenamente los valores de humanidad que llevaron a estos servidores públicos a actuar de esa manera. Decidieron no pasar de largo ante el sufrimiento humano jugándose su prestigio, su carrera y, en ocasiones, su propia vida para salvar a aquellos que habían sido despreciados por la sinrazón. Lo sencillo hubiera sido no hacer nada y mirar hacia otro lado como hicieron muchos. Pero era la hora de los valientes y, ante la crueldad de los hechos, el heroísmo se hizo realidad cotidiana y se convirtió en la única vía para salvar la vida de esos desheredados.

Por mi ejercicio profesional he tenido muchas ocasiones para rendir homenaje a estos diplomáticos tanto en diferentes actos de Memoria de la Shoá por toda la geografía española como en las diversas inauguraciones de la exposición *Visados para la Libertad. Diplomáticos españoles ante el Holocausto*. Con especial emoción recuerdo también mi presencia en *Yad Vashem*, lugar en el que se les recuerda con toda solemnidad.

Uno de esos actos me llevó a Grecia en abril de 2008 y allí tuve el placer de conocer a la profesora Matilde Morcillo coincidiendo con la presentación en Atenas de su libro *Sebastián de Romero Radigales y los sefardíes de Grecia* que había sido editado por el Centro Sefarad-Israel.

Desde entonces, Matilde Morcillo ha sido un referente en la materia y ha colaborado con el Centro Sefarad-Israel en distintas iniciativas.

Su inquietud le ha llevado ahora a investigar el trabajo de otros diplomáticos como es el caso de Bernardo Rolland de Miota, Cónsul General de España en París, cuya labor salvadora fue intensa y fructífera. Su recuerdo y su legado quedan en la memoria de muchos supervivientes y familiares como bien refleja el documental *Conservar la Memoria* dirigido por Arancha Gorostola y Ricardo Basterra.

En ese sentido, el Centro Sefarad-Israel se enorgullece de contar desde hace años con la amistad y colaboración de Alain de Toledo, hijo de un salvado por el Cónsul Rolland de Miota.

Por todo lo expuesto, es para mí un verdadero honor escribir estas líneas a modo de prólogo para la obra *El Cónsul Bernardo Rolland y de Miotta y los sefardíes de París* con el deseo de que esta tenga una amplia difusión que haga justicia a la memoria de un hombre ejemplar.

Miguel de Lucas
Diplomático
Director General del Centro Sefarad-Israel

Palabras de Alain de Toledo

El 2 de diciembre de 1941 mi padre fue detenido por la policía francesa en su casa en el distrito 9 de París. Posteriormente la historiografía dió el nombre de "rafle des notables" al ataque que tuvo lugar ese día en el que decenas de abogados, políticos y médicos fueron detenidos por el único delito de haber nacido judíos. Mi padre no era un notable; fue un honesto comerciante que nació en 1904 en Gumuldjuma, actualmente en Grecia, pero que, en el día de su nacimiento, pertenecía al Imperio Otomano. Pasó parte de su juventud en Estambul antes de venir a París en 1931 con toda su familia. Por una de esas ironías que la historia reserva a los hombres, tenía la nacionalidad española concedida por el rey Alfonso XIII por el Decreto del general Miguel Primo de Rivera. Este Decreto le había salvado la vida, porque él fue liberado el 14 de marzo de 1942, trece días antes de la salida del primer convoy a Auschwitz. Las condiciones de vida en el campo de Compiègne Royalieu eran muy duras, varios prisioneros murieron de hambre o de frío o tuvieron enfermedades que dejaron secuelas en su vida, pero por supuesto aquello no tenía nada que ver con los campos de exterminio construidos por los nazis en Europa del Este. De esta historia no he sabido nada. Mi padre murió cuando yo todavía era joven y él no me dijo nada.

En el año 2000, ordenando unos papeles, descubrí un documento que se titulaba "Ausweiss" que significaba permiso de salida en alemán. Este papel me intrigó porque estaba firmado por supuesto por el mando alemán del "Gross París", y también por el Cónsul español Bernardo Rolland. Yo quise saber por qué un cónsul español firmó un documento alemán.

Entonces descubrí que la liberación de mi padre fue por la intervención del cónsul a su favor como súbditto español. También descubrí que él estaba en principio en el convoy que en agosto de 1943 había permitido a 80 judíos abandonar París para ir a España. Convoy donde se encontraba la familia de mi padre y mi madre que no se conocían en ese momento.

11

Habiendo descubierto esto, estimé que el Cónsul merecía la medalla de los « Justos » concedida por el Yad Vashem de Jerusalén en favor de todas las personas que han ayudado a salvar judíos durante ese período terrible. Envié un Dossier en el 2004 y por razones que desconozco aún no ha dado resultado. Como se dice "cualquier cosa mala es buena", ante el rechazo del Yad Vashem completé el Dossier y descubrí cuánto se había implicado el Cónsul Rolland en el salvamento de los judíos perseguidos en contra de la política del Gobierno español. Su implicación le costó su trabajo, porque cediendo a la presión de los nazis, que lo consideraba un "amigo de los judíos", el Gobierno español decidió que regresara a Madrid.

La acción del Cónsul habiendo sido en gran parte clandestina es difícil definir de forma exacta. En mi opinión él salvó a más de 300 personas. En el corazón de los sefardíes, por tanto, es un Justo y un Grande de España.

Alain de Toledo
Presidente Asociación *Muestros Desaparesidos* (París)

ABREVIATURAS

a.c.	año corriente
a.i.	ad interim, interinamente
afmo.	afectísimo
A.M.A.E., R.	Archivo Ministerio Asuntos Exteriores, Renovado
Cfr.	Cifrado
Corresp.	Correspondencia
C.S.I.C.	Consejo Superior de Investigaciones Científicas
e.s.m.	estrecha su mano
Excmo.	Excelentísimo
exp.	expediente
Gral.	General
Ibídem.	lo mismo
INTo.	Interino
leg.	legajo
Mr.	Monsieur
nº.	número
O.	Orden
p. / pp.	página / páginas
P.O.	Por Orden
ppdo.	próximo pasado
q.e.s.m.	que estrecha su mano
R.D.	Real Decreto
R.O.	Real Orden
S.E.	Su Excelencia
Sr. / Sres.	Señor / Señores
V.E.	Vuestra Excelencia

V.I.   Vuestra Ilustrísima

V.S.   Vuestra Señoría

V.S.I.   Vuestra Señoría Ilustrísima

I. INTRODUCCIÓN

Aunque se han publicado varios libros sobre Franco y los judíos durante la Segunda Guerra Mundial[1] organizado exposiciones fotográficas y grabado documentales[2] en los que, obviamente, se hace referencia a la gestión de los diplomáticos españoles en los países ocupados por los nazis, el presente libro es el primero que se publica sobre el Cónsul General Bernardo Rolland de Miota y los sefardíes de París.

Presenta dos grandes novedades. La primera, toda la correspondencia diplomática existente en el Archivo del Ministerio de Asuntos Exteriores de Madrid que el Cónsul Rolland enviaba a España para informar de la situación de los judíos durante la ocupación alemana de Francia. Una correspondencia apasionante y de un valor inestimable, que pone de manifiesto cómo el Cónsul Rolland trabajó más allá del deber para ayudar a los judíos, lo que le costó su cese al frente del Consulado General de España en París por "proteger demasiado a los judíos".

La segunda, son los testimonios orales y escritos de supervivientes de la Shoá salvados por Rolland que corroboran, junto con la correspondencia y

---

[1] Para estudiar las relaciones de Franco con los judíos durante la Segunda Guerra Mundial pueden verse entre otros autores: AVNI, H.: *España, Franco y los judíos*, Altalena, Madrid, 1982 y "La salvación de judíos por España durante la Segunda Guerra Mundial", en HASSAN, J.M.: *Actas del I Simposio de Estudios Sefardíes*, Madrid, 1974, pp. 81-89; "Franco pudo hacer más", *Historia 16*, nº. 26, junio, 1978, pp. 26-32; *Spain, the Jews, and Franco*, Filadelfia, 1982; MARQUINA, A. -OSPINA, G.I.: *España y los judíos, siglo XX. La acción exterior*, Madrid, Espasa Calpe, 1987; ROTHER, B.: *Franco y el Holocausto...*; REIN, R.: *Franco, Israel y los judíos*, C.S.I.C., Madrid, 1996; MORCILLO, M.: *S.R. Radigales y los sefardíes de Grecia, 1943-1946*. Casa Sefarad-Israel, Instituto Cervantes de Atenas, Universidad de Castilla-La Mancha, Metáfora, Madrid, 2008; ESPADA, A.: *En nombre de Franco. Los héroes de la Embajada de España en Budapest*, Espasa, Barcelona, 2013; LISBONA, J.A.: *Más allá del deber. La respuesta humanitaria del Servicio Exterior frente al Holocausto*, Ministerio de Asuntos Exteriores, Madrid, 2015.

[2] En 2007 y 2008 se habían emitido por TV los documentales "Visados para la Libertad. Diplomáticos españoles ante el Holocausto" y "Conservar la Memoria", de Arancha Gorostola y Ricardo Basterra. Por último, en 2014 el Ministerio de Asuntos Exteriores inauguró en Madrid la exposición "Más allá del Deber. La respuesta humanitaria del Servicio Exterior frente al Holocausto", de José Antonio Lisbona.

una seleccionada reproducción facsimilar de documentos, la gestión de dicho Cónsul.

En 2008, al publicar el libro sobre Sebastián de Romero Radigales y los sefardíes de Grecia (1943-1946)[3], el profesor hispanista Charles Leselbaum, con ocasión del homenaje que un grupo de sefardíes, hijos de familias que se salvaron de la Shoah con Alain de Toledo entre ellos, iban a rendir a finales de noviembre de 2008 en París al Cónsul Rolland por su gestión en dicha capital, me invitó a hacer un estudio para presentar a Rolland, aunque, al final, no se publicó. Posteriormente, a raíz del nombramiento de Cónsul Radigales por el Yad Vashem de Jerusalem "Justo entre las Naciones" el 26 de febrero de 2014, pensamos que, aprovechando aquel estudio inicial que hice en 2008 y que nunca llegó a publicarse, era el momento idóneo para sacar a la luz el presente trabajo, rendir un merecido homenaje y poner de manifiesto la labor que el Cónsul Rolland llevó a cabo en París en favor de los sefardíes españoles, arriesgando en ocasiones su vida y su carrera profesional como ya se ha dicho[4].

---

[3] MORCILLO, M.: *S.R. Radigales y los sefardíes de Grecia, 1943-1946...*
[4] Bernardo Rolland de Miota nació en Madrid el 7 de diciembre de 1890, hijo de Guillermo Benito Rolland y Paret, banquero, académico y político, y de su esposa María de Miota e Iñurrigarro, de noble familia vizcaína. Fue nieto del ilustre banquero y benefactor francés establecido en España en 1835 Guillermo Rolland y Salles (cuyo nombre ostenta una calle de Madrid). Del matrimonio de sus padres nacieron también Guillermo, luego asimismo diplomático; Benito, asesinado en 1936 en Madrid por los revolucionarios; María, casada con otro diplomático, el Vizconde de Gracia Real, y Antonia, que lo hizo con un militar, el Conde del Zenete. Bernardo recibió sus primeras letras con los Escolapios de San Antón, estudió el bachillerato en el Colegio de San Miguel junto a Gregorio Marañón y otros hijos de prohombres de la época. Cursó Derecho en la Universidad Central y en la de Santiago de Compostela en la que se graduó. Desde joven, Bernardo fue un deportista, uno de los primeros jugadores españoles de golf, deporte que aprendió a los quince años en Inglaterra y que practicó hasta cumplidos los 75. También fue uno de los primeros esquiadores. Preparando su doctorado en el Colegio de San Clemente de los Españoles en Bolonia le sorprendió la convocatoria para el ingreso en la Carrera Diplomática lo que le hizo dejar esa Universidad para presentarse. Una vez superada la oposición, fue destinado como Agregado a la Legación en Estocolmo (1912). Luego seguirían Berlín, Roma, París, El Salvador, de nuevo Roma, todo con una brillante sucesión de ascensos. Destinado en Londres, trabó una estrecha amistad con el entonces Príncipe de Gales, luego Eduardo VIII, lo que le valió en 1934 su traslado inopinado a Montreal como Cónsul, ya que, al parecer, el Embajador Ramón Pérez de Ayala

El libro se centra en la primera parte de la Segunda Guerra de Mundial, desde la ocupación de Francia por los nazis en septiembre de1940 hasta la sustitución del Cónsul Bernardo Rolland el 20 de febrero de 1943 por Alfonso Fiscowich, aunque se ha completado el estudio hasta la repatriación de los sefardíes a España en agosto de 1943. Un periodo justificado en sí mismo por cuanto coincide con la aplicación de las primeras ordenanzas contra los judíos en septiembre de 1940, pasando por las leyes de expropiación y las gestiones de Rolland para la administración de los bienes de los sefardíes y la expedición de visados para viajar a España a un grupo de más de 90 sefardíes, si bien, por una serie de circunstancias no pudo terminar su gestión al ser cesado; sin olvidar la ayuda prestada en otras ocasiones de forma individual a sefardíes españoles o el caso de los 14 judíos españoles internados en el

---

consideró esta relación como impropia de los representantes de un régimen republicano.

En Montreal le llegó la noticia del levantamiento militar del 18 de julio de 1936 en España. Consideró su deber ponerse al servicio de la causa de los sublevados y no antes de haber conseguido un sustituto para España. Allí, al no ser admitido en el Ejército por su edad, participó en la campaña del Norte como conductor de ambulancias de primera línea alcanzando el grado de teniente de la Cruz Roja.

En 1937 fue sacado del frente y destinado como diplomático a Nacho-Enea, agencia oficiosa montada en San Juan de Luz por el Gobierno de Franco, aun no reconocido por Francia. En Nacho-Enea conoció a la que muy pronto sería su mujer y que trabajaba allí como voluntaria: María Luisa de Lavilleón y Sánchez de Movellán, de padre militar francés y de madre española, hija de banqueros montañeses afincados en París. De su matrimonio nació un único hijo, Guillermo, el 22 de noviembre de 1938 en San Sebastián. En Nacho-Enea permaneció hasta el 27 de febrero de 1939. Después, el 23 de marzo de dicho año fue nombrado Cónsul General de España en París, donde permaneció hasta su cese el 20 de febrero de 1943. Su estancia en París marcaría profundamente su vida, enfrentándose a la sinrazón y la barbarie de los alemanes.

En 1945 fue destinado como Cónsul General en Nueva York y más tarde en San Francisco. Terminó su carrera como Jefe de Gabinete de los Ministros Martín-Artajo y Castiella, jubilándose en 1960 con rango de Embajador, después de 48 años de servicio.

Obtuvo numerosas condecoraciones. En 1949 el gobierno español le concedió la Gran Cruz de la Orden del Mérito Civil, y en 1959 recibió la Gran Cruz de la Orden de Isabel la Católica. También se le otorgó la Encomienda de la Legión de Honor francesa y fue Mayordomo de Semana del Rey Alfonso XIII, Comendador de Número y Caballero de la Real y Muy Distinguida Orden de Carlos III, Gran Cordón de la Orden Estrella Brillante de la República de Chile, Comendador de la Corona de Italia, Caballero de Leopoldo II de Bélgica, Caballero de la Orden de Gustavo Wassa de Suecia. Bernardo Rolland falleció en Madrid el 17 de julio de 1976 a los 86 años.

campo de detención de Drancy[5], y todo ello en el marco de las relaciones del gobierno español con los sefardíes de Francia.

Tras un capítulo introductorio, se aborda la gestión del Cónsul Rolland. Después presentamos el corpus de documentos diplomáticos sobre los sefardíes de París. Finalmente, se incluye la bibliografía y un apéndice documental que contiene prensa, imágenes, testimonios orales y escritos, además de la reproducción facsimilar de una nutrida selección de documentos que hemos considerado más sobresalientes.

Para terminar, quisiera dar las gracias en primer lugar a Elena Colitto, nieta del ya citado Cónsul Sebastián de Romero Radigales por su gestión con Isaac Revah, superviviente de la ocupación nazi de Salónica en 1941 y salvado por el Cónsul Radigales. El Sr. Revah me puso en contacto con Alain de Toledo, el cual me ofreció información sobre el Cónsul Rolland, dado el Dossier que había presentado al Yad Vashem de Jerusalem en 2004, como ya ha dicho el propio Alain de Toledo al principio; Igualmente, doy las gracias a Daniel Rainer que puso a mi disposición documentación del expediente que la Fundación Raoul Wallenberg y, en su nombre, el propio Sr. Rainer, presentó al Yad Vashem en 2010 para proponer a Rolland "Justo entre las Naciones". Del mismo modo, a Jean Carasso, a Guillermo Rolland, hijo del Cónsul Bernardo Rolland, al director del Centro Sefarad-Israel, Miguel de Lucas y a Fernando Vara de Rey por el apoyo institucional, así como a

---

[5] El campo de Drancy se encontraba al noreste de París y fue establecido por los alemanes en agosto de 1941 como un campo de internamiento para los judíos extranjeros en Francia; más tarde se convirtió en el campo principal de detención de los judíos que iban a ser deportados de Francia. Hasta primeros de julio de 1943, el campo estuvo bajo la supervisión de las policías francesa y alemana. Después, los alemanes tomaron el control directo del campo. Véase Apéndice Documental, imágenes, pp. 171-172. Sobre Drancy puede consultarse: CALEF, N.: "Drancy 1941. Camp de représailles, Drancy la faim". Édité et présenté par Serge Klarsfeld pour le 50e. anniversaire du Camp de Drancy en *Le Monde Juif. La Revue du Centre de Documentation Juive Contemporaine*, n°. 143 (Nouvelle série), Paris, 1991, pp. 133-502 (paginación separada en el texto: V-XX, 1-354). Cfr. en ROTHER, B.: *Franco y el Holocausto*, traducción de Leticia Artiles Gracia, revisión de Gonzalo Álvarez Chillida, Marcial Pons, Madrid, 2005.

Yessica Sanromán, directora del área de Holocausto y antisemitismo de dicho Centro por su interés y ayuda; sin olvidar a María de Miguel, también del Centro Sefarad-Israel, por estar siempre ahí cuando la he necesitado, y, por supuesto, a las personas que han aportado sus testimonios.

Al respecto conviene señalar, sin embargo, que, en ocasiones, las declaraciones de algunos testigos en relación al número de sefardíes salvados por Rolland no coinciden, aun cuando se aproximan, con la documentación hallada, en la que, por cierto, también encontramos contradicciones en cuanto al número de sefardíes que, finalmente, entraron en España. En cualquier caso, los posibles errores se han subsanado con otras fuentes.

Y, por último, mi agradecimiento a la editorial y a los que han ayudado de forma directa e indirecta a la realización de este trabajo. Sin la colaboración de todos, el presente libro no hubiera salido a la luz.

II. ESPAÑA ANTE LA SEGUNDA GUERRA MUNDIAL

La actitud de España durante la Segunda Guerra Mundial transcurrió desde la declaración de neutralidad más estricta a la no beligerancia, para terminar de nuevo con la neutralidad. España quedaba fuera del conflicto bélico pero insertada en el entramado de naciones que intentaban construir el nuevo orden europeo.

Desde el inicio del régimen franquista en España comenzaron a dictarse medidas represivas y depuradoras contra cualquier disidencia religiosa, especialmente la judía, como estaba ocurriendo en Alemania; sin embargo, a pesar de las disposiciones antisemitas adoptadas por Franco, éstas estaban destinadas más a la propaganda publicista del régimen de cara a sus aliados del Eje, que a hacer daño a los sefardíes. Hubo órdenes encaminadas a prestar ayuda humanitaria, cuya consecuencia inmediata fue la salvación de miles de judíos de Europa oriental.

No se dictaron disposiciones oficiales dirigidas en tal sentido, sino que la salvación se debió principalmente a la permisividad de las autoridades españolas y a la voluntad individual de algunos diplomáticos españoles que decidieron ayudarles. Tales fueron los casos de Bernardo Rolland en París, José Rojas en Bucarest, Julio Palencia en Sofía, Ángel Sanz Briz en Budapest o Sebastián de Romero Radigales en Atenas[6].

En los primeros años de la guerra miles de judíos traspasaron la frontera hispano-francesa y desde los puertos españoles embarcaron hacia Sudamérica. El documento de salvación fue el Decreto del general Miguel Primo de Rivera de 1924 que otorgaba la nacionalidad española a los 'antiguos protegidos españoles o descendientes de éstos y, en general, a individuos

---

[6] EIROA, M.: *Las relaciones de Franco con Europa Centro-Oriental (1939-1945)*, Ariel, Barcelona, 2001; MORCILLO, M.: *S.R. Radigales y los sefardíes de Grecia (1943-1946)...*; ESPADA, A.: *En nombre de Franco. Los héroes de la Embajada de España en Budapest...*

pertenecientes a familias de origen español' que lo solicitasen antes del 31 de diciembre de 1930[7].

El gobierno franquista dispuso medidas de protección facilitándoles visados y pasaportes de entrada, pero como el ministro de Asuntos Exteriores, Francisco Gómez Jordana, consideraba que la situación era muy comprometida para España pues, si por un lado no les podía negar protección porque eran súbditos españoles y, por otro, no podía permitir la entrada masiva de judíos en territorio nacional, el ejecutivo recurrió a una legalidad estricta: solamente entrarían los que tuvieran la documentación completa sobre nacionalidad según el Decreto de Primo de Rivera de 1924, y no se acogería ningún grupo de sefarditas hasta que se hubiese solucionado la salida del anterior grupo llegado a cualquier provincia[8].

La intervención española en cada una de las zonas afectadas por la persecución nazi fue distinta, en función del propio carácter, voluntad y relaciones de cada diplomático[9].

---

[7] MORCILLO, M.: "La comunidad sefardí de Salónica. Cuestión del reconocimiento de la nacionalidad española: desde la Primera a la Segunda Guerra Mundial", *Sefárdica*, n°. 17, Centro de Investigación y Difusión de la Cultura Sefardí, Buenos Aires (Argentina), 2008, pp. 46-58. De la misma autora: "Política cultural de España en los Balcanes: inventarios de los intereses de España en las comunidades sefardíes de Grecia (1931-1936)", *Miscelánea de Estudios árabes y hebreos. Sección hebreo,* n°. 63, Universidad de Granada, Granada, 2014, pp. 179-222; "La diplomacia española en las comunidades sefardíes de Grecia durante el primer tercio del siglo XX", *Cuadernos Judaicos,* n°. 31, Universidad de Chile, Santiago de Chile, 2014, pp. 116-141; "La ley del descanso dominical en Salónica: impacto en la comunidad judía a través de la prensa francófona (1924-1925)", *Byzantion Nea Hellas,* n°. 33. Centro de Estudios Griegos, Bizantinos y Neohelénicos "Fotios Malleros" de la Facultad de Filosofía y Humanidades de la Universidad de Chile, Santiago de Chile, 2014, pp. 263-278.
[8] ROTHER, B.: *Franco y el Holocausto...*, p. 131; MORCILLO, M.: *Sebastián de Romero Radigales y los sefardíes de Grecia (1943-1946)...;* REIN, R.: *Franco, Israel y los judíos...*
[9] EIROA, M.: *Las relaciones de Franco con Europa Centro-Oriental (1939-1945)...,*Véase también: SONTHEIRMER, D.: *Las siete cajas,* Circe, 2014; LISBONA, J.A.: *Más allá del deber. La respuesta humanitaria del Servicio Exterior frente al Holocausto...*

III. BERNARDO ROLLAND Y DE MIOTA Y LOS SEFARDÍES DE PARÍS (1940-1943)

3.1. Contexto histórico

Como se sabe, nada más comenzar la Segunda Guerra Mundial con la invasión de Polonia por parte de Alemania el 1 de septiembre de 1939, Francia e Inglaterra, aliadas de Polonia, declaraban la guerra a Alemania, y ésta respondía con la ocupación de Francia en junio de 1940. Un mes después los franceses se rendían y firmaban un armisticio. De esta forma, el país se dividió en dos partes, el norte de Francia, incluyendo a París, fue la zona ocupada, quedando bajo el control de las fuerzas alemanas, mientras que en el sur, la zona no ocupada, el general Philippe Petain, héroe de la Primera Guerra Mundial, estableció un nuevo gobierno en la ciudad de Vichy que colaboraría con los alemanes[10]. Pero el general Charles De Gaulle, que se oponía a que este gobierno colaborara con los nazis, se refugió en Gran Bretaña desde donde dirigió a un grupo de franceses libres en el exilio para conseguir liberar a Francia de la tiranía de los alemanes y del gobierno colaboracionista de Vichy.

Finalmente, los Aliados desembarcaron en Normandía el 6 de junio de 1944 y liberaban a Francia dos meses después. Por su parte, el general De Gaulle entraba victorioso en el país, y los dirigentes del gobierno de Vichy huían.

Según Avni[11] en 1940 habrían estado viviendo en Francia aproximadamente unos 35.000 judíos. Con la ocupación, muchos de ellos habían huido de la persecución nazi. En el Consulado de España en París figuraban inscritos unos 2.000 judíos como súbditos españoles. En la Francia de Vichy, donde había varios consulados, se inscribieron otros 1.000. Los

---

[10] Véase Apéndice Documental, imágenes, p. 169.
[11] AVNI, H.: *España, Franco y los judíos...*, p. 81.

cónsules de esta zona se encargaban de proteger a sus súbditos. El presente trabajo se centrará en los sefardíes de París.

3.2. Gestión del Cónsul Bernardo Rolland

Bernardo Rolland toma posesión como Cónsul General de España en París en marzo de 1939. Los alemanes invadieron Francia en junio de 1940, ocupando la capital. Durante las primeras semanas los nazis se mostraron tolerantes hacia los judíos franceses, aunque esto duraría poco tiempo. El 27 de septiembre de 1940 las autoridades alemanas promulgaban la primera Ordenanza en la zona ocupada, según la cual todos los judíos deberían inscribirse en una Prefectura de policía para que se estampara en sus documentos la palabra judío. No conforme con esto, el gobierno de Vichy emitió el 3 de octubre de 1940 el Statut des Juifs (Estatuto de los Judíos), por el que los judíos se distinguían del resto de la población. Esta medida afectaba a más de 2.000 judíos españoles[12]. El Estatuto reconocía como judíos a todos los que tuvieran al menos tres abuelos de esa raza. A partir del Estatuto Judío los hebreos tuvieron prohibido acceder a las administraciones públicas, ser médicos o trabajar en actividades artísticas como prensa, teatro y cine. A los que tuviesen negocios se les obligaba a colocar un letrero amarillo que rezase Entreprise Juive (Empresa Judía). Todos los asuntos entre judíos y franceses se harían a través del Consistorio de París que dirigía el judío Isaie Schwarz[13]. Poco después, el 18 de octubre, se publicaba la segunda Ordenanza que afectaba a las empresas judías[14].

---

[12] LISBONA, J.A.: *Más allá del deber. La respuesta humanitaria del Servicio Exterior frente al Holocausto...*, p. 283.

[13] http://www.eurasia1945.com/acontecimientos/crimenes/francia-de-vichy/. Consultado el 25 de febrero de 2015.

[14] Véase Apéndice Documental, prensa, p. 157.

Cuando estas leyes alcanzaron a los judíos españoles, España no tuvo más remedio que intervenir en favor de sus súbditos, aunque sería el Cónsul Bernardo Rolland el que tomara la iniciativa. Los judíos españoles se presentaban en los consulados para preguntar qué debían hacer y si tenían que someterse a las nuevas leyes o no[15]. Rolland, sin instrucciones de Madrid, argumentaba que, como en España no existían leyes raciales ni los judíos estaban discriminados, parecía injusto que estas leyes afectaran a súbditos españoles fuera de España.

Sin embargo, el Embajador de España ante el gobierno de Vichy, José Félix de Lequerica, no veía claro este argumento, por lo que sería el Ministro de Asuntos Exteriores, Ramón Serrano Súñer[16] (cuñado del general Franco), quien definiera cuál sería la postura de España a seguir: todos los Representantes de España en el extranjero deberían conocer las leyes antijudías, no deberían poner trabas a su ejecución y, además, deberían adoptar una actitud pasiva. Pero Rolland, obrando según su conciencia, y al igual que hiciera antes su predecesor Eduardo Propper de Callejón, expidió cientos de cartas de protección firmadas por él mismo, logrando que una gran parte de sefardíes fueran excluidos del Statut des Juifs.

Rolland, además de facilitarles certificados de nacionalidad a cuantos sefardíes se lo solicitaron, les decía, a quienes le pedían consejo, que su condición de españoles les eximía de cumplir las nuevas normas. Esta postura le valió la airada respuesta de Serrano Suñer, quien ordenó al Cónsul que no obstaculizara la aplicación de las leyes alemanas a los sefardíes españoles.

A pesar de ello, cuando en 1941 se impuso a los judíos la obligación de inscribirse en un censo, Rolland siguió recomendando a los sefardíes

---

[15] Véase Apéndice Documental, testimonios orales, pp. 139-145.
[16] Ramón Serrano Súñer fue Ministro de Asuntos Exteriores del 5-5-1941 hasta el 3-9-1942.

españoles que no se sometieran a esta norma. Se sabe que el censo sería decisivo para las redadas de los años siguientes.

Los problemas para los judíos no terminarían con esto. Poco después, los diplomáticos españoles en el extranjero tuvieron que afrontar la cuestión de las propiedades de sus protegidos. En Francia, a principios de 1941, se intensificó la confiscación de los bienes de los judíos, por lo que un grupo de sefardíes de la Association Culturelle Sephardite de París, por mediación del Cónsul Rolland, envió una carta el 13 de marzo de 1941 al general Franco solicitando permiso para instalarse en España, pero sería denegado por razones de política interna española[17].

En abril del mismo año se dio una orden en la zona ocupada por la que se prohibía a los judíos regentar sus negocios, además de tener que entregar sus propiedades. La reacción inmediata de Rolland fue evitar que estas medidas afectaran a los protegidos, alegando que sus propiedades eran bienes españoles. Consiguió que los comercios de los sefardíes no fueran entregados a administradores franceses, sino gestionados por administradores españoles -bajo la supervisión de los consulados de España-, que se esforzaron por salvaguardar los intereses de sus propietarios.

Para proteger la condición de súbdito español y cumplir la orden relativa al registro de judíos en los países ocupados, Rolland informó a sus súbditos que tenían que inscribirse en los consulados españoles. Sin embargo, la protección de España no siempre sirvió para liberarlos de las penalidades y persecuciones.

Prueba de ello fue cuando entre el 20 y el 25 de agosto de 1941 se produce la asegunda redada en París y son detenidos 5.784 judíos varones de 18 a 50 años[18], entre los que había 14 judíos españoles. Todos fueron llevados al

[17] AVNI, H.: *España, Franco y los judíos…*, pp. 82-83.
[18] LISBONA, J.A.: *Más allá del deber. La respuesta humanitaria del Servicio Exterior frente al Holocausto..*, p. 287.

campo de detención de Drancy[19]. A pesar de la rápida movilización del Cónsul Rolland argumentando que los súbditos italianos arrestados en esa misma redada habían sido puestos en libertad y de las sucesivas llamadas al gobierno de Madrid y a las autoridades alemanas en Berlín proponiendo que 2.000 judíos, incluidos los detenidos en Drancy, fueran transferidos al Marruecos español, la propuesta fue rechazada por los alemanes y tampoco fue apoyada por el gobierno español, por lo que no pudo liberar a los prisioneros, aunque Rolland, posteriormente, por su cuenta, y dada su reiterada intervención ante las autoridades de Francia y Alemania, el 3 de abril de 1942 salvó a los 14 judíos españoles que ya habían sido internados[20].

La inseguridad con la que vivían los judíos en París les llevó a intentar salir de Francia e instalarse en España. Ello explica que una delegación de judíos fuese a Madrid en octubre de 1941 para pedir que un pequeño grupo de sefardíes españoles pudieran ir a España a asentarse, habida cuenta que el número de judíos españoles que tenían la ciudadanía con toda la documentación en regla no alcanzaba a 1.000, y tal vez no llegaban a 300, de los 3.000 residentes en Francia que figuraban en las listas de los registrados en los consulados de España en el país galo[21].

El Ministro de Asuntos Exteriores prohibió que se aumentara ese número. Insistía en que solo los sefardíes que se hubiesen acogido al Decreto de Primo de Rivera de 1924 y registrado en el Consulado competente, en el libro 4º del Registro Civil, en la Sección de Ciudadanía, serían considerados españoles. Las esposas y los hijos debían estar igualmente inscritos en los consulados para ser reconocidos españoles. Quienes cumplieran todos estos requisitos se incluían en la categoría 1, según la clasificación del Consulado

---

[19] Véase Apéndice Documental, imágenes, pp. 171-172.
[20] Véase Apéndice Documental, testimonios orales y escritos, pp. 139-156.
[21] AVNI, H.: *España, Franco y los judíos...*, p. 135. Véase también Apéndice Documental, testimonios escritos, pp. 146-156.

General. Señalar que solo había unos 100, de los 250-300, según los autores, sefardíes españoles que vivían en París pertenecientes a este grupo.

Había, además, otros tres grupos que, sin reunir todos los requisitos para la repatriación, tenían derecho a ser reconocidos como súbditos españoles.

Así, en el segundo estaban aquellos sefardíes que, habiéndose acogido al Decreto de Primo de Rivera, no se habían inscrito en el Consulado.

En el tercer grupo se incluían los protegidos que habían solicitado la ciudadanía después del Decreto de Primo de Rivera de 1924, pero no obtuvieron respuesta o, por lo menos, no recibieron el Real Decreto que les otorgaba la nacionalidad española. Estos tampoco podían entrar en España, según comunicaría el Ministro de Asuntos Exteriores el 10 de abril de 1943[22].

Por último, en el cuarto grupo había antiguos protegidos españoles que no hicieron uso del Decreto de Primo de Rivera, y al expirar el plazo de 1930 habían perdido su condición de protegidos, pero éstos tampoco estaban excluidos de la repatriación porque tenían pasaportes españoles o certificados de nacionalidad. La posesión de estos documentos no aportaba información clara sobre si debían ser repatriados o no. El hecho es que una vez terminado el plazo en 1930, los consulados siguieron expidiendo documentos personales para los antiguos protegidos, sin comprobar si estos sefardíes habían cumplido con los reglamentos del Decreto de Primo de Rivera[23].

Rolland, en su deseo de ayudar a los sefardíes, se apresuró a pedir al Ministerio de Asuntos Exteriores que fijase una política general para todos los judíos que posteriormente lo solicitasen. Sin embargo, el Ministerio, de momento, no contestó[24].

---

[22] Véanse Documentos sobre los sefardíes de París, documentos 10 y 50, pp. 53 y 117.
[23] ROTHER, B.: *Franco y el Holocausto...*, pp. 217-219.
[24] AVNI, H: *España, Franco y los judíos...*, pp. 81-84.

A partir de 1942[25] las autoridades alemanas presionaron aún más a los súbditos españoles. Ello llevó al Cónsul Rolland a ponerse en contacto con el Secretario de la Cámara de Comercio de España en París, Sr. Montealegre[26], para que en nombre de su presidente, fuese a España a entrevistarse con el Ministro de Asuntos Exteriores, Serrano Súñer, para hablar sobre los sefardíes españoles.

Según Avni, por las Actas de los debates que se celebraron en Madrid, se sabe que el objetivo de la misión de dicho Secretario -para Avni, José de Olózaga[27]- era conseguir que se dieran instrucciones al Embajador español en Vichy, José Félix de Lequerica, y al Cónsul Rolland de que tuvieran presentes a la hora de hablar con las autoridades francesas el Acuerdo franco-español de 7 de enero de 1862, referente a los derechos y protección mutua de los intereses de los ciudadanos de los dos países. Poco después, Serrano Súñer comunicaba a Lequerica que, aunque el gobierno español no se oponía a que sus súbditos se sometieran a ciertas medidas, eso no significaba que no protegería sus intereses, por lo que debería exigir a las autoridades francesas el cumplimiento del Acuerdo de 1862[28].

La situación de los sefardíes en los países ocupados por los alemanes era muy grave a principios de 1943 y prueba de ello fueron las continuas visitas que los propios judíos venían haciendo a las Representaciones diplomáticas y consulares, bien para protestar por las medidas que estaban tomando contra

---

[25] Véase Apéndice Documental, prensa, p. 166.
[26] Según Avni el Secretario de la Cámara de Comercio era José de Olózaga, pero en el documento se puede ver que el Secretario de dicha Cámara era el Sr. Montealegre. Posiblemente, el autor haya confundido el nombre. Véase Apéndice Documental, reproducción facsimilar, p. 197.
[27] AVNI, H.: *España, Franco y los judíos…*, p. 85.
[28] Véase Apéndice Documental, reproducción facsimilar, p. 197.

ellos las autoridades alemanas, bien para solicitar pasaportes con el objeto de viajar a España[29].

Ante tal situación, el Jefe de la Dirección de Política Exterior, José María Doussinague, hacía saber al nuevo Ministro de Asuntos Exteriores, Francisco Gómez Jordana[30] , que para evitar problemas se deberían adoptar instrucciones, aunque fuesen más bien de tipo político que jurídico, para que los Representantes españoles en el extranjero las llevaran a la práctica.

Dichos Representantes deberían tener presente dos aspectos:

1º. Las medidas discriminatorias que las autoridades locales estaban adoptando respecto a los sefardíes españoles.

2º. El deseo de los sefardíes de venir a España.

En cuanto a las primeras, debido a la ideología del momento actual, no parecía oportuno alegar ante las autoridades alemanas que siendo españoles fuesen para nosotros igual que si hubiesen nacido en España, creía más conveniente referirse a los bienes de los sefardíes pidiendo que les respetasen sus propiedades como si perteneciesen a españoles y que, por tanto, formaban en cierto modo parte de la riqueza nacional de España. Es decir, que proponía dejar a un lado la cuestión de raza y religión, para tratar únicamente la cuestión económica, evitando de esa manera que sus bienes fuesen confiscados. Para ello, pedía que se crease un patronato de administración presidido por el Representante diplomático o consular de España.

Respecto a la intención de los sefardíes de viajar a España para establecerse, ellos justificaban su deseo diciendo que teniendo nacionalidad española no se les podía negar ir a España, habida cuenta que en todos los países, excepto en España, eran extranjeros.

---

[29] Véase Apéndice Documental, testimonios orales, pp. 139-145.
[30] Francisco Gómez Jordana fue Ministro de Asuntos Exteriores desde el 3-9-1942 hasta el 3-8-1944.

Si bien, respecto a esto último, puntualizaba que había que contestar eludiendo la cuestión y manifestando que de momento no se tenían instrucciones específicas que modificasen la situación anterior, según la cual España, en tiempos del Régimen de las Capitulaciones en los Balcanes, concedió la "protección" a algunos sefardíes españoles, como fue el caso de un grupo de Salónica[31]. Entonces consideró que por razones de humanidad, sobre todo durante la Primera Guerra Mundial en Grecia, cuando cesó el Régimen de las Capitulaciones, había que manifestar ante los gobiernos de los países en los que residían los sefardíes que éstos tenían la nacionalidad española, aunque, para España, a efectos de la administración pública española, seguían siendo considerados como protegidos[32].

Es decir, que se les concedió la nacionalidad española para beneficio suyo, y de ese modo poder defenderlos ante las autoridades locales para no tener que ser llamados al frente en Grecia con ocasión de la Primera Guerra Mundial, pero sin que esto les equiparase a los españoles nacidos en España, hijos de españoles y educados en el ambiente y en el espíritu de España. De este modo se eludía la cuestión de fondo, quedando por el momento trazadas las líneas de conducta a que habrían de atenerse los Representantes españoles en el extranjero[33].

Esto explica que el Embajador de España en Berlín, Ginés Vidal, comunicara a Rolland que los sefardíes no tenían autorización para venir a España, y los que deseaban salir de Francia, Bélgica y Holanda no podían ir a

---

[31] MORCILLO, M: "La comunidad sefardí de Salónica al finalizar las guerras balcánicas (1912-1913)", *Sefarad,* 52.2, C.S.I.C., Madrid, 1997, pp. 307-331.

[32] Véanse Documentos sobre los sefardíes de París, documento 27, pp. 79-82.

[33] Archivo Ministerio Asuntos Exteriores, Fondo Renovado (=A.M.A.E., R.), leg. 1.716, exp. 3: Carta dirigida por el director de Política Exterior, José María Doussinague, al Ministro de Asuntos Exteriores, Francisco Gómez Jordana, Madrid, 18 de enero de 1943.

instalarse en España por proceder en su mayoría de Constantinopla, Esmirna, Salónica, etc.[34]

Ahora bien, dadas las relaciones amistosas que existían en ese momento entre Alemania y España, la Embajada alemana, en nombre de su gobierno, comunicaba a Jordana que, a pesar de las disposiciones que su gobierno había decretado para los judíos residentes en Francia y los Países Bajos, estaba dispuesta a conceder desde la fecha en que entraban en vigor dichas disposiciones (enero de 1943) hasta el 31 de marzo del mismo año, previo examen de cada caso, el correspondiente permiso de salida a los judíos de nacionalidad española, suponiendo que el gobierno español quisiese repatriarlos desde los citados territorios sujetos al control alemán[35]. Una vez vencido el plazo no sería posible que las autoridades alemanas siguieran manteniendo el trato especial concedido hasta ese momento a los judíos de nacionalidad española.

La decisión, por tanto, estaba en manos del gobierno español si quería o no la repatriación de dichos judíos y, además, tenía que ser rápida. Al menos, así lo pedía la Embajada de Alemania[36].

Mientras España estudiaba el asunto de la repatriación, el 15 de febrero de 1943, los sefardíes Luis Franco y Menasche, Enrique Gateño y Assel, E. Canetti y Rosanes, León Burla y Yeni y Julio de Toledo Dalem, en su nombre y en el de todos los sefardíes de nacionalidad española residentes en Francia, dirigían una carta al general Franco exponiendo su situación dcsdc la ocupación del territorio francés por los alemanes, quejándose de las leyes y ordenanzas de carácter restrictivo contra los judíos, disposiciones que los colocaban al margen de la sociedad, en detrimento de la dignidad humana,

---

[34] AVNI, H.: *España, Franco y los judíos...*, p. 131.
[35] Véase Apéndice Documental, testimonios orales, pp. 139-145.
[36] A.M.A.E., R., leg. 1.716, exp. 3: Apunte dirigido por la Embajada de Alemania en Madrid al Ministro de Asuntos Exteriores, Francisco Gómez Jordana, Madrid, 26 de enero de 1943.

ordenando la confiscación de sus bienes y la deportación en masa, sin excluir mujeres, niños y ancianos, a lugares desconocidos. También, en esta carta, los sefardíes aludían a la inestimable ayuda que el cónsul Rolland les estaba prestando desde el primer momento de la ocupación.

Por todo ello, teniendo en cuenta las humillaciones y vejaciones de que estaban siendo objeto por parte de las autoridades alemanas, pedían al Jefe del Estado español su protección para que se respetara su nacionalidad y fuesen tratados como españoles, dada la neutralidad de España en el conflicto mundial[37]. Después de esto, solo les había quedado una salida, pedir permiso a Franco para ir a España a establecerse. La solicitud llegó el 1 de marzo de 1943 al Ministerio de Asuntos Exteriores.

Por su parte, Rolland envió a Jordana una segunda solicitud sobre los judíos españoles elaborada por la Cámara de Comercio de España en París. En ella, la dirección de dicha Cámara expresaba su amargura y malestar por el hecho de que España estuviera pensando abandonar a sus súbditos judíos. Adjuntaban también una lista de dicha Cámara de Comercio con 125 nombres de judíos españoles y direcciones comerciales[38]. Todos eran personas honradas que siempre habían trabajado por defender los intereses de España[39]. Muchos de estos judíos se encontraban ya repatriados en territorio español. Se sabe que los judíos viajaban en los vagones de los trenes reservados a Falange que semanalmente salían desde París hacia España[40].

Ahora, el gobierno español solo permitiría la entrada de los judíos en España de tránsito. Por ello, era conveniente, decía el Embajador, que los sefardíes volviesen a sus puntos de origen, y en caso de intentar salir podrían

---

[37] Ibídem: Carta dirigida por un grupo de sefardíes al general Franco, París, 15 de febrero de 1943. Véanse Documentos sobre los sefardíes, documento 43, pp. 105-107.

[38] Véase Apéndice Documental, reproducción facsimilar, pp. 211-217.

[39] AVNI, H.: *España, Franco y los judíos...*, p. 133.

[40] Falange Española: partido político de ideología fascista fundado en 1933 por José Antonio Primo de Rivera, hijo del general Miguel Primo de Rivera; LISBONA, J.A.: *Más allá del deber. La respuesta humanitaria del Servicio Exterior frente al Holocausto..*, p. 285.

viajar a España, como ya se ha dicho, únicamente en tránsito, siempre que se les concediese el visado para otro país de destino, que bien podría ser eventualmente alguno de América.

No podemos dejar de reconocer la labor que el Embajador de España en Berlín, Ginés Vidal, estaba ejerciendo cerca de las autoridades alemanas en favor de los sefardíes para que aquéllas permitieran a dichos sefardíes ir a Turquía y tratar de obtener el oportuno permiso del gobierno turco[41].

Sin embargo, la respuesta no fue tan positiva como en un principio se esperaba. Al menos, así lo vieron los propios sefardíes españoles que, decepcionados por la decisión del gobierno español de concederles solo el derecho de tránsito, pero no su permanencia en España, y no pudiendo ocultar su dolor, dirigían ahora una carta al Ministro de Estado, alarmados por la advertencia del Cónsul Rolland de que, según órdenes del gobierno alemán, los sefardíes españoles tendrían que abandonar el país en el plazo de un mes, so pena de verse sometidos a las mismas leyes que el resto de los judíos, y que el Consulado solo les proporcionaría el visado de tránsito, sin concederles el derecho de poder instalarse en España, por lo que el visado quedaba subordinado a la obtención por anticipado de hospitalidad en un país extranjero. Ello había producido una gran consternación entre la comunidad, pero confiaban en la benevolencia del gobierno español y esperaban una rápida intervención[42].

Por otro lado, a pesar de las disposiciones del gobierno alemán sobre la repatriación de los judíos españoles, después pondría condiciones, pues dichos judíos tendrían que cumplir unas normas estrictas sobre nacionalidad de acuerdo con el Decreto del general Primo de Rivera de 1924. A Rolland

---

[41] A.M.A.E., R., leg. 1.716, exp. 3: Despacho dirigido por el Embajador de España en Berlín, Ginés Vidal, al Cónsul General de España en París, Bernardo Rolland, Berlín, 19 de febrero de 1943.

[42] Ibídem: Carta dirigida por un grupo de sefardíes al Ministro de Estado, París, 27 de febrero de 1943.

le preocupaba mucho la suerte de los sefardíes que siendo considerados españoles hasta entonces no cumplían del todo con los criterios de Madrid.

Según Rother[43], se trataba, como ya se ha explicado anteriormente, de sefardíes que habían adquirido la nacionalidad española por medio de decretos especiales, pero que no se habían inscrito en el Consulado, y de personas que hasta ese momento habían sido tratados como protegidos, que habían recibido documentos españoles por medio de distintas órdenes del Ministerio de Asuntos Exteriores, pero no se habían acogido al Decreto de Primo de Rivera de 1924.

Por ello, Rolland, al ver que bastantes de sus protegidos no se encontraban en esa situación, presionó ante el gobierno alemán hasta que consiguió el permiso de entrada en territorio español para unos 90 judíos sefardíes. Rolland, además, intentó, en todo momento, favorecer la repatriación individual. Para ello había creado con cuatro judíos españoles[44] una oficina dentro del mismo Consulado para otorgar certificados de nacionalidad y pasaportes, no solo a los que tenían la documentación en regla, sino también a los protegidos, en contra de las órdenes de Madrid[45]. Así, entre junio de 1940 y abril de 1943, concedió visados de entrada en España a 20 sefardíes y a otros 27 antiguos protegidos que no estaban inscritos en el registro de ciudadanos del Consulado. Los judíos viajaban, como ya se ha dicho, en los vagones reservados a Falange. Entre esos judíos destaca Daniel Carasso[46].

---

[43] ROTHER, B.: *Franco y el Holocausto...*, pp. 217-219.

[44] LISBONA, J.A.: *Más allá del deber. La respuesta humanitaria del Servicio Exterior frente al Holocausto..,* p. 285.

[45] Véase Apéndice Documental, testimonios orales, pp. 139-145.

[46] Véase Apéndice Documental, imágenes, pp. 182-183. Inscripción de Daniel Carasso en el Consulado de España en París y foto. Daniel Carasso fue el fundador de la empresa de yogures Danone. En 1941 consiguió escapar de los nazis gracias a la ayuda del Cónsul Bernardo Rolland y marchó a Nueva York, dejando su negocio en manos de Norbert Lafont y Luis Portabella, quienes le devolvieron todos los bienes cuando de nuevo regresó a París diez años después. Siempre quiso mantener la ciudadanía española. Había nacido en Salónica en 1905 y murió en mayo de 2009 en París.

Sin embargo, su hermana Flora, por haberse casado con un griego, perdió la nacionalidad española y fue deportada a Auschwitz[47].

Además de los 90 sefardíes protegidos, todavía había en París otros 250, pero que habían huido a la zona no ocupada tras la ocupación alemana en 1940[48]. Rolland empezó a preparar los visados para los 90 sefardíes, pero no llegó a completar el trabajo, pues fue cesado el 20 de febrero de 1943. Se sabe que en mayo y noviembre de 1942, las autoridades alemanas de ocupación trasmitieron al Embajador de España en Vichy sus deseos de que Rolland abandonara el Consulado "por haber protegido mucho a los judíos de París"[49]. Aunque el Ministerio de Asuntos Exteriores al principio se negaba a sustituir a Rolland, aun cuando existía un informe de la Falange en Francia que le acusaba de ser "conspirador, promonárquico y antifalangista", después, la presión de las autoridades alemanas fue tan grande -amenazaron con cerrar todos los consulados de España en Francia- que el gobierno español no tuvo más remedio que ceder. En abril de 1943, Rolland abandonaba París tras su nombramiento como Jefe de Gabinete de la diplomacia española, quedando al frente del Consulado provisionalmente Diego Bulgas de Dalmau.

El 27 de abril de 1943, el Ministerio de Asuntos Exteriores comunicó a Berlín que se autorizaba la entrada en España, pero solo en tránsito, de todos los sefardíes que hasta entonces hubiesen estado en posesión de documentos personales españoles, en contra de lo que había dicho anteriormente, que solo podrían viajar a España los sefardíes que se hubiesen acogido al Decreto de Primo de Rivera y tuviesen toda la documentación en regla. Esta decisión

---

[47] Europa Press, Madrid, 28-11-2014; LISBONA, J.A.: *Más allá del deber. La respuesta humanitaria del Servicio Exterior frente al Holocausto...*, pp. 289-290.

[48] ROTHER, B.: *Franco y el Holocausto...*, pp. 231-232.

[49] Véanse Documentos sobre los sefardíes de París, documento 27, pp. 79-82 y Apéndice Documental, reproducción facsimilar, pp. 195-196.

llegó a París el 1 de mayo de 1943, coincidiendo con el día en el que Alfonso Fiscowich tomaba posesión como Cónsul General de España en París[50].

Antes de llegar a París, Fiscowich estuvo en el Protectorado francés de Túnez, donde defendió a los 134 hebreos españoles inscritos en el Consulado de unas leyes antisemitas menos contundentes que las aplicadas en Vichy[51].

Como ya se ha dicho, en los consulados de España en Francia había registrados cerca de 3.000 judíos, pero solo entre 250-300 tenían la documentación en regla conforme a lo exigido por el gobierno español, aunque inscritos en el libro de Ciudadanía eran sobre 100. El resto de judíos, considerados antiguos protegidos, quedaban excluidos de cualquier ayuda y de la repatriación y, por tanto, podrían ser deportados por los nazis al ser considerados apátridas.

Fiscowich no podía permitir esto y, como todavía no había recibido las nuevas órdenes de Madrid -podrían entrar en España, pero solo en tránsito, todos los sefardíes que hasta entonces hubiesen estado en posesión de documentos personales españoles-, piensa que todos los judíos que tenían la nacionalidad española, aunque no se hubiesen inscrito o no se hubiesen acogido al Decreto de Primo de Rivera, podían salvarse; por ello, había que proporcionarles la documentación necesaria. Si bien no hizo falta, porque entre el 5 de mayo y el 26 de junio de 1943, para su sorpresa, Fiscowich recibió instrucciones de la Embajada de España en Berlín para conceder visados de entrada a todos los judíos protegidos aunque no cumplieran los requisitos[52]. Por ello, entre 140-143 protegidos se presentaron en el Consulado de París

---

[50] Alfonso Fiscowich fue Cónsul General de España en París entre 1943-1944. Sustituyó a Bernardo Rolland, con quien había coincidido en la Embajada de Berlín siendo los dos secretarios durante la Primera Guerra Mundial; LISBONA, J.A.: *Más allá del deber. La respuesta humanitaria del Servicio Exterior frente al Holocausto...*, pp. 301-314.

[51] http://www.raoulwallenberg.net/es/prensa/2008-prensa/revelaciones-holocausto-14/

[52] Véase Apéndice Documental, testimonios orales y escritos, pp. 139-146.

solicitando visados para ser repatriados[53]. Hay que señalar, sin embargo, que como en la zona no ocupada de Vichy no permitían la entrada de judíos en España si no tenían toda la documentación en regla, muchos de esos judíos protegidos fueron a París para obtener visados y poder viajar a España.

El gobierno español, al ver que el número de judíos protegidos se había incrementado, rectificó, y el 26 de junio de 1943, el Ministro de Asuntos Exteriores, Jordana, comunicó a París que solo podrían ser repatriados los judíos que tuviesen la documentación completa de su nacionalidad española. Esto fue un jarro de agua fría para los 90 sefardíes protegidos a quienes desde el principio Rollad les había empezado a preparar los visados para entrar en España y que Fiscowich les había entregado. Entonces, Fiscowich preguntó a la Embajada en Berlín que qué iba a pasar con los 90 sefardíes y el resto de judíos protegidos que no cumplían con todos los requisitos, pero no tuvo contestación. De todas formas, Fiscowich siguió concediendo documentos de nacionalidad a los judíos, pensando que les podrían ser de gran utilidad, al mismo tiempo que sobre esa base envió a la Embajada en Berlín una lista con 79 sefardíes[54]. Rother señala que lo lógico es que en la nueva lista no figurase ningún nombre de los contenidos en la relación de los ya citados 90 protegidos. Si bien, aparecían 5 nombres de la anterior lista, lo que quiere decir que se trataba de ciudadanos españoles que cumplían con los requisitos exigidos por el gobierno de Madrid.

El 30 de junio Fiscowich remitió a Madrid la lista con 79 nombres que previamente ya había sido enviada a Berlín. Además, informaba que los sefardíes saldrían de París el 28 de julio de 1943, cruzando Irún el 29. Deberían ir acompañados por un representante del Consulado y un inspector de policía.

---

[53] Exposición fotográfica "Más allá del deber". Comisario José Antonio Lisbona. Disponible en red: http://www.exteriores.gob.es/Portal/es/SalaDePrensa/Multimedia/Publicaciones/Documents/20141126_TripticExpoMasAlladelDeber.pdf. Consultado el 10 de febrero de 2015.
[54] Véase Apéndice Documental, testimonios escritos, pp. 146-156.

Sin embargo, hubo un retraso porque España no había confirmado todavía la lista. Por fin, el 10 de agosto de 1943 partió el gran grupo de repatriados[55].

Avni dice que salieron 80 sefardíes, entre ellos una mujer muy enferma que murió en el camino[56]. Sin embargo, un informe del Ministerio de Asuntos Exteriores señala que viajaban a Irún 81 sefardíes. En este número iba incluida también una joven sefardí del Imperio otomano y otra mujer enferma que se quedó en Irún. Pero la lista confirma que entraron 79 sefardíes, y que abajo de dicha lista aparece el nombre de la joven turca que viajó en el convoy con ellos, y que entonces sumarían 80 como señala Avni. De estos 80, 72 fueron repartidos por varias ciudades de España, entre ellas Zaragoza, Logroño, Burgos, Toledo y Granada, mientras que 5 sefardíes en edad del servicio militar fueron enviados a distintos puntos de España y a Segangan (Marruecos) [57].

Según Rother, existe contradicción en las fuentes españolas respecto al número exacto de sefardíes que fueron repatriados. A decir verdad, en las listas que hemos encontrado en A.M.A.E., R. figuraban 73, incluida la mujer enferma que permaneció en Irún, pero no contempla los 5 sefardíes en edad del servicio militar[58]; mientras que en la lista del Consulado General de París sí figuran los 5 sefardíes. Sin embargo, Rother señala que había 8 judíos en edad del servicio militar en lugar de 5[59], y en un documento recogido en el libro de Avni habla de 4 ó 5 judíos[60]. En los documentos del JOINT[61] aparece

---

[55] Véase Apéndice Documental, testimonios orales, pp. 139-145.

[56] AVNI, H.: *España, Franco y los judíos...*, p. 137.

[57] Véase Apéndice Documental, reproducción facsimilar, pp. 225-226 y testimonios escritos, pp. 146-156.

[58] A.M.A.E., R., leg. 1.716, exp. 3: Despacho dirigido por el Cónsul de España en París, Alfonso Fiscovich, al Ministro de Estado, París, 2 de octubre de 1943. Véase AVNI, H.: *España, Franco y los judíos...*, p. 138.

[59] ROTHER, B.: *Franco y el Holocausto...*, p. 237.

[60] AVNI, H. *España, Franco y los judíos...*, p. 216.

[61] JOINT: American Jewish Joint Distribution Committee. Sobre el Joint, véase la obra de BAHUER, Y.: *American Jewry and the Holocaust: The American Jewish Joint Distribution Committee, 1939-1945.* Detroit, 1981.

la cifra de 79 sefardíes, lo que corrobora el número exacto de sefardíes que entraron finalmente en España. Todos poseían nacionalidad española, excepto los hermanos Marcel y Ruth Canetti que tenían nacionalidad francesa[62].

Las autoridades alemanas les permitieron llevar a los sefardíes sus libros de oración y entre 200 y 300 francos. El resto del dinero lo tuvieron que dejar en la caja de la aduana francesa. Los aduaneros españoles les revisaron el equipaje pero no les quitaron nada. La primera noche que pasaron en España fue en un hotel en el que no había camas para todos y tuvieron que ser alojados entre los vecinos del barrio de la estación[63].

---

[62] Véase Apéndice Documental, testimonios orales y escritos, pp. 139-156.
[63] ROTHER, B.: *Franco y el Holocausto...*, pp. 237-238.

IV. ÍNDICE DE DOCUMENTOS

4.1. Documentos sobre los sefardíes de París

1. Medidas contra judíos (octubre, 1940)[64]

Excmo. Sr.

Adjunto tengo la honra de remitir a V.E. las disposiciones dictadas por las autoridades alemanas relativas a los judíos y dictadas esta mañana, que afectan a gran número de sefarditas españoles, comerciantes, gentes acomodadas, con su documentación perfectamente en regla.

Lo que tengo la honra de manifestar a V.E. para la debida información de ese Departamento.

París, 2 de octubre de 1940.
Dios guarde a V.E. muchos años.
El Cónsul General
Bernardo Rolland

Excmo. Sr. Ministro de Asuntos Exteriores. Madrid.

---

[64] A.M.A.E., R., leg. 1.716, exp. 2: Despacho dirigido por el Cónsul General de España en París, Bernardo Rolland, al Ministro de Asuntos Exteriores, Ramón Serrano Súñer, París, 2 de octubre de 1940.

2. Segunda Ordenanza contra empresas judías (octubre, 1940)[65]

Excmo. Sr.

Adjunto tengo la honra de remitir a V.E. la segunda Ordenanza dictada por las autoridades alemanas de ocupación, relativa a las empresas económicas de todas las clases, formadas por judíos.

Por Despacho nº 845 de 2 de octubre, remití a V.E. la primera Ordenanza, relativa a las personas en general.

A las numerosas preguntas de los españoles de extradición judía, residentes en París, sobre si se debían o no presentar a la Comisaría para hacer su declaración, ha contestado este Consulado General que no lo considera necesario por estimar que no existiendo en España ninguna ley referente a un Estatuto sobre judíos, no puede un Estado o Autoridad extranjera clasificar a los españoles y aceptar estas medidas que implican una merma de la capacidad jurídica de un súbdito español, es contrario al principio general de derecho de que todo cuanto afecta a la capacidad jurídica del nacional cae exclusivamente bajo el imperio de la ley nacional.

Espero merezca este criterio la superior aprobación de V.E.

Dios guarde a V.E. muchos años.
El Cónsul General
Bernardo Rolland

Excmo. Sr. Ministro de Asuntos Exteriores. Madrid.

---

[65] Ibídem: Despacho dirigido por el Cónsul General de España en París, Bernardo Rolland, al Ministro de Asuntos Exteriores, Ramón Serrano Súñer, París, 24 de octubre de 1940.

3. El Cónsul Rolland considera que las ordenanzas del 27 septiembre y 18 de octubre de 1940 no afectan a los israelitas españoles (octubre, 1940)[66]

Le Consul Général d'Espagne en France considere que les Ordonnances promulguées par l'Administration Militaire Allemande en France en date du 27 Septembre et du 18 Octobre 1940 ne touchent pas les sujets espagnoles d'extraction israélite.

En foi de quoi et à toutes fins utiles il délivre le présent à la demande de Monsieur Moises Benveniste Covo.

Fait à Paris le 28 Octobre 1940.

Le Consul Général

Bernardo Rolland

4. Las medidas contra los judíos se harán extensivas también a los 2.000 judíos inscritos en el Consulado de España en París (noviembre, 1940)[67]

Autoridades francesas y alemanas tienen acordado que la reciente medida contra los judíos se haga extensiva a los 2.000 sefarditas inscritos en este Consulado y con documentación en regla. Consulado ha contestado que en España no existe legislación que establezca diferencia de raza. Someto caso a consideración de V.E. por si estima oportuno comunicar instrucciones.

Consulado ha informado debidamente a V.E.

LEQUERICA

---

[66] Ibídem: Despacho dirigido por el Cónsul General de España en París, Bernardo Rolland, al Ministro de Asuntos Exteriores, Ramón Serrano Súñer, París, 28 de octubre de 1940.

[67] Ibídem: Telegrama dirigido por el Embajador de España en Vichy, José Félix de Lequerica, al Ministro de Asuntos Exteriores, Ramón Serrano Súñer, Vichy, 8 de noviembre de 1940.

5. El ministro de Asuntos Exteriores reprueba la actitud del Cónsul General de París (noviembre, 1940)[68]

Contesto telegrama 630. Aunque no se comprende qué Consulado ha dado esa contestación en medida tomada por autoridades alemanas contra judíos, que supongo será París, ruego a V.E. haga saber al Cónsul que dicha respuesta a autoridades alemanas no es aceptable ni es criterio de Gobierno, debiendo únicamente darse por enterado de estas medidas y en último caso no poner inconvenientes a su ejecución, conservando actitud pasiva. Aunque en España no existe ley de razas, Gobierno español no puede poner dificultades aun en sus súbditos de origen judío para evitar se sometan a medidas generales. Haga V.E. llegar a Gobierno alemán explicación contenida este telegrama.

SERRANO SÚÑER

---

[68] Ibídem: Telegrama dirigido por el Ministro de Asuntos Exteriores, Ramón Serrano Súñer, al Embajador de España en Vichy, José Félix de Lequerica, Madrid, 9 de noviembre de 1940.

6. Se propone a España que nombre administradores judiciales para los bienes de los sefardíes (diciembre, 1940)[69]

Confirmo V.E. mi Despacho nº. 1.428 del corriente. Autoridad departamento Sena y Ródano ha comenzado a incautarse bienes de los sefarditas y están bloqueadas sus cuentas corrientes en los bancos. En París proponen desde primero de enero nombre administradores judiciales para bienes de los judíos. Urge por lo tanto resolución este asunto y espero instrucciones.

L.P.

7. La Embajada de España en París debe atenerse a las instrucciones dadas por el ministro de Asuntos Exteriores (diciembre, 1940)[70]

Contesto su 572. Debe V.E. proceder con arreglo instrucciones dadas verbalmente por mí y reiteradas desde aquí por escrito. Persónese Embajada para proteger intereses de esos españoles sin perjuicio proceder con ellos forma tratada conversaciones.

SERRANO SÚÑER

---

[69] Ibídem: Telegrama dirigido por el Embajador de España en Vichy, José Félix de Lequerica, al Ministro de Asuntos Exteriores, Ramón Serrano Súñer, París, 24 de diciembre de 1940.
[70] Ibídem: Telegrama dirigido por el Ministro de Asuntos Exteriores, Ramón Serrano Súñer, al Embajador de España en Vichy, José Félix de Lequerica, Madrid, 26 de diciembre de 1940.

8. Situación de los sefardíes de origen español (enero, 1941)[71]

Excmo. Sr.

Teniendo en cuenta las circunstancias anormales que se atraviesan y el trato distinto de que, en muchos casos, son objeto por parte de las autoridades locales, los españoles llamados sefarditas, algunos en regla por haberse acogido al R.D. de 20 de diciembre de 1924 y tener inscrita la correspondiente acta de ciudadanía en el libro de la Sección 4ª del Registro Civil respectivo, otros (y son los más) provistos de certificados de nacionalidad que se les han ido renovando en virtud de haberse así dispuesto en diversas Ordenes de ese Ministerio, como por ejemplo las que hacen referencia a las familias Benadon, Carasso y otros y la nº 19 de 2 de agosto de 1934 dirigida al Cónsul de Nápoles, cuya copia remitió para su conocimiento, la vigencia de la protección en Egipto que precisamente se hallaba en negociaciones con dicho Gobierno, y otros antecedentes que desaparecieron de esta cancillería mientras los rojos estuvieron en ella y muchas otras consideraciones que no juzgo oportuno exponer por no distraer en demasía la digna atención de V.E., me han inducido a someter a su Superior criterio, la forma de solucionar este estado anómalo en que se hallan los mencionados sefarditas y aclarar de una vez su verdadera situación con respecto a la nacionalidad o protección de que vienen gozando.

Podrían clasificarse en tres grupos:

Los que habiendo obtenido por R.O. u Orden Ministerial la nacionalidad pero que no han cumplido el requisito final que exige el Decreto de referencia del año 1924 y que consiste en firmar en el libro de la Sección 4ª

---

[71] Ibídem: Despacho dirigido por el Cónsul General de España en París, Bernardo Rolland, al Ministro de Asuntos Exteriores, Ramón Serrano Súñer, París, 24 de enero de 1941.

del Registro de ciudadanía la correspondiente acta de ciudadanía, tropiezan con la dificultad de proporcionarse los documentos indispensables, debido a las interrupciones postales con los países de donde proceden y que, en último caso, podrían ser suplidos por certificación del Rabino o información testifical. La situación de los hijos de éstos, concretando las obligaciones a que debieran someterse por lo que respecta al servicio militar, siempre ha quedado en forma confusa y algunos se han aprovechado de ello.

La de aquellos que en virtud de habérseles facilitado certificado de nacionalidad y que están considerados como protegidos, solicitando algunos pasaporte para ir a España no siendo verdaderamente españoles, descendientes de tales y que fueron reconocidos por los Gobiernos griego o turco de acuerdo con el de España, pero que no se acogieron al R.D. del 24 por creer que no tenían necesidad de hacerlo, al igual que determinar la situación de los hijos de éstos y, finalmente,

La de aquellos que han ido apareciendo y que poseyendo documentos justificativos de haber estado inscritos como españoles (de origen o protegidos) en los diversos Consulados de la Nación en Oriente, se les negó documentarles desde el año 1930 y quedaron con respecto a las autoridades locales como sujetos de nacionalidad a determinar, pero sin ser reconocidos por los respectivos Gobiernos de donde son originarios.

Me permito rogar a V.E. se estudie la necesidad y urgencia de resolver esta cuestión, para proceder en consecuencia, teniendo en cuenta la importancia que para España podría representar el amparar, nacionalizando los intereses de esta Comunidad, sometiéndola a una minuciosa depuración y selección.

París, 24 de enero de 1941.

Dios guarde a V.E. muchos años.

El Cónsul General

Bernardo Rolland

Excmo. Sr. Ministro de Asuntos Exteriores. Madrid.

9. Las autoridades alemanas confían la gerencia de los bienes de los judíos españoles al Banco de España en París (mayo, 1941)[72]

Embajada de París ruega le comunique que las Autoridades alemanas están dispuestas a confiar la gerencia de los bienes pertenecientes a judíos españoles al Banco de España en París, que empezará inmediatamente a administrarlos en la forma que se ha indicado en un telegrama anterior. Añade que existe el propósito de ir vendiendo estos bienes y de prohibir a los sefarditas en lo futuro toda actividad comercial. Confía, sin embargo, nuestra Embajada conseguir sucesivas prórrogas al objeto de evitar que las ventas se realicen en malas condiciones.

De orden de S.E.

El Director Gral. de Política.

---

[72] Ibídem: Minuta dirigida por el Director General de Política Exterior, José María Doussinague, al Director General del Instituto Español de Moneda Extranjera, Madrid, en fecha 5 mayo de 1941.

10. El Cónsul Bernardo Rolland solicita al gobierno español que se establezcan unas normas para la concesión de pasaportes a los sefardíes protegidos que deseen ir a España (junio, 1941)[73]

Excmo. Sr.

Presentándose el caso frecuente de solicitar pasaporte para ir a establecerse a España algunos de los sefarditas que no obtuvieron la nacionalidad española por virtud de la R.O. de 20 de Diciembre de 1924, pero que se les ha continuado dando certificados de nacionalidad gracias a las diversas órdenes recibidas y por tratarse de personas de toda garantía moral, es por lo que considero oportuno elevar a consulta sobre este particular, exponiendo algunos de los casos, por si V.E. tiene a bien reservarlos de forma que pueda servir de norma a seguir para todos los que se presenten, permitiéndome recordar nuevamente el Despacho n°. 49 que con fecha 23 Enero último tuve la honra de remitir a V.E.

Entre los que han solicitado pasaporte figuran: Don Egardo Hassid y Fernández, que posee un certificado expedido por el Consulado de la nación en Salónica con fecha 3 Diciembre 1914 en el que se hace constar ser sujeto español por virtud del Real Decreto n°. 83, y un pasaporte n°. 2.012 expedido por este Consulado General en 12 mayo 1931, valedero por un año.

Don Saul Nahum Yeni, del que se guarda en su expediente una carta del Consulado de España en Salónica, fecha 18 de Julio de 1934, en la que se dice figuraba inscrito bajo el n°. 254 en la lista de antiguos protegidos y cuya nacionalidad fue reconocida por la prefectura de Salónica en 1917, pero sin constar se hubiera acogido a los beneficios de la mencionada R.O. de 20

_____

[73] Ibídem: Despacho dirigido por el Cónsul General de España en París, Bernardo Rolland, al Ministro de Asuntos Exteriores, Ramón Serrano Súñer, París, 18 de junio de 1941.

de Diciembre de 1924, y una instancia dirigida a ese Ministerio solicitando acogerse a la misma, presentada fuera de plazo y que fue devuelta por ese departamento con Orden n°. 227 de 31 de Julio 1934, para que se informara y que motivó el Despacho n°. 384 de este Consulado General con fecha 18 de Agosto del mismo año; y finalmente:

Don Lázaro Gattegno Rafael, del que juntamente con sus familiares se posee una carta del Cónsul de España en Estambul, fecha 9 de Julio de 1934, en la que se hace constar que su padre, llamado Benveniste, y sus tíos (hermanos del padre) Don Alberto y Don Carlos, se acogieron a los beneficios de la repetida R.O. de 20 Diciembre de 1924, habiendo recaído decisión favorable en las instancias presentadas por Don Alberto y Don Carlos, pero sin recibir instrucciones para la de Benveniste.

Dios guarde a V.E. muchos años.
El Cónsul General
Bernardo Rolland

Excmo. Sr. Ministro de Asuntos Exteriores. Madrid.

11. Se prohíbe a los judíos ejercer determinadas profesiones a partir del 1 de julio de 1941 (junio, 1941)[74]

Excmo. Sr.

Muy Sr. mío: Tengo la honra de pasar a manos de V.E. el recorte de prensa que se acompaña, que ha aparecido en los periódicos de esta capital

---

[74] Ibídem: Despacho dirigido por el Cónsul General de España en París, Bernardo Rolland, al Ministro de Asuntos Exteriores, Ramón Serrano Súñer, París, 27 de junio de 1941.

en el día de ayer, en el que se insertan las nuevas instrucciones dadas por la Prefectura de policía, en virtud de las cuales el ejercicio de las profesiones y actividades que se relacionan quedan prohibidas para los judíos a partir del 1 de Julio próximo. Es de señalar que la anterior disposición no hace más que poner en vigor lo dispuesto por las autoridades alemanas de ocupación con fecha 25 de abril de este año en curso. Por otra parte, el 2 del corriente el gobierno francés dictó la ley aparecida en el *Journal Officiele* del 14 del corriente substituyendo la Ley del 3 de octubre de 1940 sobre el Estatuto de los Judíos, en la que se establece qué personas son consideradas como judías y se limitan sus actividades en todas las esferas. Supongo que de dicha ley tiene V.E. debido conocimiento por conducto de la Embajada en Vichy por tratarse de disposición del gobierno francés.

Refiriéndome al texto de lo ordenado por la Prefectura de policía de esta ciudad, me permito señalar a V.E. lo establecido en el antepenúltimo párrafo con respecto a los judíos extranjeros a los que se les obliga a presentarse en la prefectura para la sustitución de sus respectivas cartas de identidad. Es de suponer que las cartas de comerciante les serán retiradas y se les proveerá de cartas de particulares (non-travailleur), quedando así automáticamente impedidos de ejercer actividad alguna.

Dios guarde a V.E. muchos años.
El Cónsul General
Bernardo Rolland

Excmo. Sr. Ministro de Asuntos Exteriores. Madrid.

12. España envía instrucciones a sus Representantes en el extranjero (agosto, 1941)[75]

Ilmo. Sr.

Cúmpleme acusar recibo a V.I. de sus despachos números 252 y 268, de 15 y 24 de Julio último, en los que, con motivo de la Ley y medidas antisemitas adoptadas recientemente en ese país, ruega se le informe acerca de las instrucciones que, por iguales razones, se han cursado a nuestros Representantes en Francia.

En su respuesta, cúmpleme participar a V.I. que, si bien es cierto que en España no existe Ley de razas, el gobierno español no puede poner dificultades, aún en sus súbditos de origen judío, para evitar se sometan a medidas generales, pero éstos, si tienen que inscribirse en algún registro especial o presentar alguna declaración en cuanto a sus bienes o de cualquier otra clase, deberán hacer constar su nacionalidad española, debiendo V.I. defender sus intereses como tales súbditos españoles.

Lo que de orden comunicada por el Sr. Ministro de Asuntos Exteriores traslado a V.I. para su conocimiento y efectos oportunos.

Dios guarde a V.I. muchos años.
El Subsecretario

Sr. Ministro de España en Sofía.

---

[75] Ibídem: Minuta dirigida por el Subsecretario de Estado al Ministro de España en Sofía, Julio Palencia Tubau, Madrid, 7 de agosto de 1941.

13. Rolland sugiere que el Embajador español en Berlín interceda por los judíos de nacionalidad española en Francia (septiembre, 1941)[76]

Excmo. Sr.

Muy Sr. mío: Tengo la honra de pasar a manos de V.E. para su debido conocimiento la copia que se acompaña del Oficio que dirijo al Embajador de España en Berlín, con fecha 2 del corriente, dándole cuenta de los actos que vienen cometiéndose con los judíos por parte de las autoridades locales, que también afectan directamente a los judíos de nacionalidad española, como consecuencia de los cuales se encuentran actualmente detenidos varios de ellos. Como he tenido conocimiento de que los Consulados de Italia, Bulgaria, Turquía y otros países que cuentan con minorías judías entre sus nacionales, han hecho gestiones cerca de las autoridades competentes para obtener la liberación de sus súbditos judíos detenidos con motivo de los últimos acontecimientos ocurridos y de que hasta el momento presente no han sido liberados más que los de nacionalidad italiana, doy cuenta del hecho a nuestro Embajador en Berlín por si tiene a bien y considera oportuno intervenir cerca del Ministerio de Negocios Extranjeros para que se dispense a los españoles domiciliados en la zona ocupada de Francia el trato que, según mis informaciones, parece se da en Alemania a los judíos extranjeros.

Dios guarde a V.E. muchos años.
París, 3 de Septiembre de 1941.
El Cónsul General
Bernardo Rolland

Excmo. Sr. Ministro de Asuntos Exteriores. Madrid.

---

[76] Ibídem: Despacho dirigido por el Cónsul General de España en París, Bernardo Rolland, al Ministro de Asuntos Exteriores, Ramón Serrano Súñer, París, 3 de septiembre de 1941.

14. Masivas detenciones de judíos (septiembre, 1941)[77]

Excmo. Sr.

Muy Sr. mío: Como ampliación a mi Despacho anterior sobre la situación de los judíos españoles y al que se acompaña copia de la comunicación dirigida al Embajador de España en Berlín exponiéndole el caso de varios judíos españoles encarcelados con motivo de las detenciones realizadas hace unas semanas y que han ascendido a más de siete mil, cúmpleme poner en conocimiento de V.E. que las gestiones que he venido realizando, tanto cerca de las Autoridades francesas como alemanas, para su liberación no han dado, hasta el momento presente, resultados satisfactorios y que, según mis impresiones, no será fácil obtener.

En primer lugar, resulta que las Autoridades francesas se inhiben del asunto, alegando obedecen a instrucciones de los alemanes, a pesar de haber sido la policía francesa la que procedía a realizar las detenciones. En cuanto a las alemanas, después de haber realizado varias gestiones en diversos organismos, el delegado especial para los asuntos judíos me ha hecho saber que las detenciones practicadas son una medida de represalia por la conducta y actuación atribuida a los judíos y que, por otra parte, viene a ser la iniciación de una ofensiva general contra los mismos y la simple puesta en práctica de las disposiciones recientemente dictadas por las mismas autoridades francesas.

Refiriéndose al caso concreto de los judíos españoles que se encuentran encarcelados e incomunicados indicó que contra ninguno de ellos existe más cargo que el de ser judío, señalando que su nacionalidad no podía implicar excepción alguna en las medidas generales contra los mismos adoptadas.

---

[77] Ibídem: Despacho dirigido por el Cónsul General de España en París, Bernardo Rolland, al Ministro de Asuntos Exteriores, Ramón Serrano Súñer, París, 10 de septiembre de 1941.

Insistió en el punto de vista de que la campaña se dirige en general hacia todos los individuos de una misma raza y, por tanto, está en pugna con la tesis sostenida por aquellos países en los que su legislación no establece diferenciación racial alguna entre sus súbditos.

No obstante, señaló que dado el reducido número de judíos españoles, en comparación con los de otros países, y en atención especial a su nacionalidad, cabría para un futuro próximo encontrar una solución intermedia, al igual que se ha establecido para los bienes e intereses de los judíos españoles, que ocasionase los perjuicios mínimos a los mismos ya que prevé que en breve plazo se intensificarán las medidas generales contra los judíos y se pondrá en vigor la reciente disposición francesa en la que se faculta a los Prefectos para internar a los judíos extranjeros en campos de concentración o para expulsarlos del territorio francés.

El posible acuerdo que, según indicó, tal vez podría hacerse en favor de los españoles sería el de permitirles abandonar el territorio francés.

Traslado lo anterior a V.E. a título informativo, como muestra del estado de prevención existente contra los judíos en general y como anuncio de una intensificación en esta zona de la campaña antisemita, de la cual será, a mi juicio, difícil que los judíos españoles queden al margen.

Me creo en el deber de señalar a V.E. que en el supuesto de llevarse a la práctica los propósitos anunciados, como parece desprenderse por los hechos, llegará el día en que los judíos españoles sean, al igual que todos los demás de otras nacionalidades, internados en campos de concentración o de que, en el mejor de los casos, se les dé un plazo determinado para abandonar la zona ocupada de Francia.

En este último caso surgirá inmediatamente el problema relativo a sus bienes e intereses, pues si en la actualidad sus empresas y bienes han sido respetados mediante la intervención y administración del Banco Español en París y de la Cámara Oficial Española de Comercio, y se les autoriza a utilizar una parte de sus ingresos y rentas, en el caso de tener que abandonar la zona de Francia ocupada, es de prever que, de acuerdo con las disposiciones también en vigor, no se les permita llevar consigo ni sus capitales ni grandes sumas de dinero, lo que a su vez vendrá a crear una nueva seria dificultad.

Para el debido conocimiento de V.E., cúmpleme participarle que los judíos de otras nacionalidades -turcos, iraneses, búlgaros, etc.-, se encuentran en las mismas o en peor situación que los españoles, pues no han logrado obtener el régimen de administración de sus bienes como se ha conseguido para los españoles. Los Cónsules de Turquía, del Irán y otros han estado en contacto con este Consulado General en estos últimos días para conocer las gestiones realizadas en favor de judíos españoles, ya que ellos cuentan con muchos más de sus respectivos países en igual situación. Según he sabido también parece que continúan encarcelados varios judíos de nacionalidad italiana que también fueron detenidos en las detenciones generales últimamente realizadas.

Dios guarde a V.E. muchos años.
París, 10 de Septiembre de 1941.
El Cónsul General
Bernardo Rolland

Excmo. Sr. Ministro de Asuntos Exteriores. Madrid.

15. Las gestiones del Cónsul Rolland para liberar a los judíos españoles detenidos no han dado resultado (septiembre, 1941)[78]

Excmo. Sr.

Muy Sr. mío: Como ampliación a lo manifestado a V.E. en mis Despachos n°. 698 y 716 de fechas 3 y 10 del corriente, cúmpleme poner en su conocimiento que las gestiones que continúo realizando para lograr la libertad de los judíos españoles que actualmente se encuentran detenidos no han dado hasta el momento presente un resultado positivo y que a mi modo de ver no creo prospere dado el aspecto que presenta el asunto de los judíos.

A este respecto debo señalar que los detenidos se encuentran incomunicados y que las gestiones también hechas por sus familiares para entrevistarse con ellos no han sido tampoco satisfactorias.

El problema de los judíos continúa agudizándose y si bien es verdad que no se ha efectuado ninguna nueva detención en masa, como la efectuada hace algunas semanas, y que originó la detención de los españoles, diariamente vienen realizándose detenciones individuales. A estos hechos las autoridades les dan completa publicidad y, a título informativo, participo a V.E. que la prensa de esta ciudad, hace unos días, dando cuenta de la visita efectuada por un periodista a uno de los campos de concentración situado en las proximidades de París, donde están detenidos unos 4.000 judíos franceses, inserta entre las relaciones de los detenidos nombres de personas que hasta hace poco ocupaban cargos destacadísimos en determinadas empresas y que son conocidos por sus actividades comerciales o incluso como conocidísimos profesionales.

---

[78] Ibídem: Despacho dirigido por el Cónsul General de España en París, Bernardo Rolland, al Ministro de Asuntos Exteriores, Ramón Serrano Súñer, París, 19 de septiembre de 1941.

Dios guarde a V.E. muchos años.

París, 19 de Septiembre de 1941.

El Cónsul General

Bernardo Rolland

Excmo. Sr. Ministro de Asuntos Exteriores. Madrid.

16. El Cónsul Rolland informa a Madrid sobre la campaña antisemita y la difícil situación de los judíos en Francia (septiembre, 1941)[79]

Excmo. Sr.

Muy Sr. mío: En Despachos anteriores he venido informando a V.E. que la situación especial creada a la colonia sefardita española como consecuencia de las medidas adoptadas contra los judíos en general y como actualmente se registra una intensificación de la campaña antisemita, creo conveniente señalar el hecho a V.E. ya que el anuncio de nuevas disposiciones o la puesta en vigor de algunas ya dictadas, pueden afectar directamente a los judíos españoles.

En primer lugar, es de hacer notar que en zona ocupada se han dictado antes, y también aplicado con más rigor que en la zona no ocupada, medidas contra los judíos, pues en tanto que el Gobierno de Vichy preparaba la legislación sobre el particular, en zona ocupada se dictaron inmediatamente ordenanzas provisionales, emanadas de las Autoridades alemanas, y disposiciones complementarias a las mismas, adoptadas por los Prefectos.

---

[79] Ibídem: Despacho dirigido por el Cónsul General, Bernardo Rolland, al Ministro de Asuntos Exteriores, Ramón Serrano Súñer, París, 22 de septiembre de 1941.

Actualmente que el Gobierno francés ha dictado toda una serie de leyes y ha establecido órganos y servicios competentes, las Autoridades de la zona ocupada aplican estrictamente estas nuevas instrucciones francesas y se anuncia la probable ejecución de la medida que autoriza a los Prefectos a expulsar a los judíos extranjeros considerados como indeseables o a disponer su internamiento colectivo en campos de concentración adecuados.

La campaña antisemita viene intensificándose y es un hecho significativo el anuncio de la adopción de una nueva ley por la que el Gobierno francés vendrá a subsanar la falta de equilibrio existente entre la legislación de ambas zonas, ya que en la ocupada, como se ha indicado, hay mayor número de disposiciones y mediante una serie de medidas complementarias se pretende la unificación de la legislación en ambas zonas. Ignoro el alcance que puedan tener en la zona no ocupada las leyes y disposiciones contra los judíos, así como el rigor con que se apliquen, pero, en lo que se refiere a esta zona, como he indicado a V.E., se nota notablemente un intenso recrudecimiento de la campaña antisemita que obedece probablemente a los sucesos que aquí vienen ocurriendo y por atribuirse a los judíos ser el núcleo más hostil a la administración alemana.

Puede observarse en los momentos presentes que la campaña antisemita entra en una nueva fase. Al principio, las medidas se limitaron a la localización de las personas consideradas como de raza judía y a su posterior eliminación de la Administración, de la colonia y, en general, de todas las actividades, incluso de las más modestas. En esta primera etapa se aplicó a los judíos un estatuto por el que se les atribuye determinadas garantías y sometía a un régimen especial, tanto a las personas como a sus bienes. Estas disposiciones dieron por resultado la total eliminación de las personas consideradas como judíos y la absoluta intervención de sus bienes o propiedades. No se hizo distinción entre nacionales o extranjeros y V.E. conoce el régimen especial que consiguió obtenerse a título excepcional para los judíos españoles, mediante la gerencia y administración de sus bienes por mediación de la Cámara Española de Comercio y del Banco de España.

Terminada esta primera etapa, hace algún tiempo, se ha iniciado una segunda fase del asunto consistente en la adopción de medidas excepcionales de carácter más bien policial contra los judíos y ya he dado cuenta a V.E. en Despachos anteriores de las constantes detenciones que se realizan y del establecimiento de campos de concentración a los judíos exclusivamente destinados.

Estas medidas van acompañadas de una gran campaña más activa que la precedente, que ha culminado con la inauguración, el 5 del corriente, de la exposición denominada *El judío y Francia*[80], con la asistencia de las autoridades civiles y militares de la Administración y de ejército de ocupación, así como de las francesas locales y de los organismos oficiales franceses competentes, denominados Alta Comisaría de Asuntos Judíos y Dirección General de Asuntos Judíos. La exposición se celebra en el edificio denominado palacio Berlista y aparece patrocinada por el Instituto de Estudios Judíos, entidad de carácter oficial.

Paso a manos de V.E., por si lo considera de interés, el ejemplar que se acompaña relativo a la exposición, donde pueden verse sus diferentes secciones, en las que a base de gráficos, cuadros sinópticos, fotografías, estadísticas, etc..., se presentan, desde los orígenes, costumbres y características del pueblo judío, hasta su infiltración en Europa, haciéndose historia de su influencia en los diferentes países y dedicándose apartados especiales a Alemania y Francia, donde se expone con todo detalle la preponderancia judía en todos los aspectos de la vida durante los últimos años. A continuación, existen secciones dedicadas a exponer las medidas y legislaciones dictadas contra

---

[80] Véase Apéndice documental, imágenes, p. 170.

los judíos en diferentes países. En el recinto de la exposición también se exhiben películas, se dan diariamente conferencias y se reparten folletos de propaganda.

Otro hecho también digno de mencionarse, en la campaña que tiene lugar, es la celebración del aniversario del político y escritor francés Édouard Drumont, autor de "France Juive" y precursor del antisemitismo en Francia. Con este motivo se anuncia la celebración de un ciclo de conferencias y de diferentes actos en su homenaje, así como la inauguración de una lápida conmemorativa y de una manifestación.

Señalo a V.E. todo lo anterior a título informativo y por las posibles consecuencias que puedan derivarse con respecto a la colonia judía española, de la que he venido ocupándome en Despachos anteriores dando cuenta de la situación difícil por que atraviesa.

> Dios guarde a V.E. muchos años.
> El Cónsul General
> Bernardo Rolland

Excmo. Sr. Ministro de Asuntos Exteriores. Madrid.

17. Una Comisión de sefardíes viaja a España para interceder por los judíos españoles (septiembre, 1941)[81]

Excmo. Sr. Don Ramón Serrano Súñer
Ministro de Asuntos Exteriores. Madrid.

Mi querido jefe,

Me permito presentarles a los sefarditas españoles señores Don Nick Alberto Saporta y Beja, Don Enrique Saporta y Beja, Don Alberto Nahum y Carasso, Don Ricardo Sadacea y Bitti y Don Edgardo Hassid y Fernández, que componen la Comisión que se traslada a esa capital, al objeto de darle cuenta y exponerle la situación de la colonia israelita española en la zona ocupada de Francia, en relación con las disposiciones adoptadas por las Autoridades alemanas y francesas.

Queda siempre a sus órdenes, suyo afmo. y subordinado.

Bernardo Rolland.
Cónsul General

---

[81] A.M.A.E., R., leg. 1716, exp. 3: Despacho dirigido por el Cónsul General de España en París, Bernardo Rolland, al Ministro de Asuntos Exteriores, Ramón Serrano Súñer, París, 29 de septiembre de 1941.

18. Nuevas medidas contra los judíos que afectan a los sefardíes de nacionalidad española (septiembre, 1941)[82]

Excmo. Sr.

Muy Sr. mío: Tengo la honra de poner en conocimiento de V.E. que, según ya se anunciaba a V.E. en el Despacho nº 737, de fecha 17 de septiembre de 1941, se han comenzado a tomar nuevas medidas contra los judíos y por disposición de la Prefectura de policía se establece que todos los judíos tanto franceses como extranjeros deberán presentarse a partir del 1º de Octubre próximo ante las autoridades. Se indica que a partir de la fecha señalada esta presentación será periódica, a fin de que las autoridades puedan a todo momento conocer la situación y actividades de los mismos.

Esta medida hace prever que precederá a otras, de las que informaré a V.E. a su debido tiempo.

París, 29 de septiembre de 1941.
Dios guarde a V.E. muchos años.
El Cónsul General
Bernardo Rolland

Excmo. Sr. Ministro de Asuntos Exteriores. Madrid.

---

[82] Ibídem: Despacho dirigido por el Cónsul General de España en París, Bernardo Rolland, al Ministro de Asuntos Exteriores, Ramón Serrano Súñer, París, 29 de septiembre de 1941.

19. Tensa situación en París. Atentados contra las sinagogas de París (octubre, 1941)[83]

Excmo. Sr.

Muy Sr. mío: Como continuación a mis Despachos anteriores en los que he venido dando cuenta a V.E. de los acontecimientos que tuvieron lugar últimamente en esta ciudad, tengo la honra de participar a V.E. que durante la última semana transcurrida no se ha registrado ningún nuevo hecho como los ocurridos y que originaron las represalias y medidas adoptadas, lo cual prueba que estas medidas excepcionales así como las enérgicas represalias efectuadas, e incluso los llamamientos a la población hechos por las Autoridades alemanas y francesas, han producido el efecto deseado.

Por otra parte, la aplicación de medidas de rigor contra infractores a la disposición que obliga la entrega de toda clase de armas ha continuado y las Autoridades han hecho públicos varios casos en los que se han ejecutado las sentencias de muerte dictadas contra varios de ellos.

Por lo que respecta a la campaña contra los judíos, ésta se desarrolla con la misma intensidad y en la noche del 2 al 3 del corriente se cometieron atentados contra siete u ocho sinagogas existentes en París, en cuyos edificios estallaron varios petardos y bombas que causaron desperfectos en los mismos y en las casas contiguas, quedando los templos prácticamente inutilizados. Especialmente, la sinagoga más importante, emplazada en pleno centro de

---

[83] Ibídem: Despacho dirigido por el Cónsul General de España en París, Bernardo Rolland, al Ministro de Asuntos Exteriores, Ramón Serrano Súñer, París, 6 de octubre de 1941.

París, en la calle de la Victoria, ha sido la que más daños ha sufrido y se afirma que era la única que había sido recientemente autorizada para reanudar el culto con motivo de una de las fiestas religiosas judías más importantes, cuya celebración coincidía con la fecha en que ocurrieron los atentados.

Las versiones dadas a lo ocurrido han sido varias y contradictorias, pues si bien en un principio se atribuyeron los hechos a las propias Autoridades, éstas indicaban que fueron realizados por los mismos judíos como señal de protesta al propósito de que las sinagogas fuesen convertidas en museos antijudíos, abiertos al público. Según los informes que se nos han facilitado, dichos actos han sido cometidos por las organizaciones que se distinguen por ser las más activas en la campaña antisemita que se desarrolla, contando con la previa tolerancia de las Autoridades.

Por la forma con que la prensa se ha limitado a dar cuenta de los atentados ésta sería, además, la versión más verosímil y aceptable, pues es de suponer que de haberse cometido dichos actos sin conocimiento de las Autoridades no solo hubiese sido sumamente difícil su ejecución -dada la vigilancia nocturna existente y la limitación de la circulación durante la noche- sino que hubiesen, por otra parte, implicado la inmediata adopción por las Autoridades de las consiguientes medidas contra los alteradores del orden, cosa que no ha ocurrido. Dada la manera, como queda dicho, con que los periódicos, en un simple suelto y sin más comentario, han señalado el hecho, y la proporción de lo ocurrido, pues es de hacer notar que toda la población de París estuvo naturalmente alarmada por las numerosas y constantes explosiones que se percibieron de tres a cinco de la mañana, es más que probable suponer que las Autoridades tenían pleno conocimiento de lo proyectado por la fecha religiosa judía en cuestión, así como de su ejecución, y que se contaba con su benevolencia o, por lo menos, con su inhibición.

Dios guarde a V.E. muchos años.

El Cónsul General
Bernardo Rolland

Excmo. Sr. Ministro de Asuntos Exteriores. Madrid.

20. Se informa a España sobre la venta de bienes inmuebles pertenecientes a judíos (noviembre, 1941)[84]

Excmo. Sr.

Muy Sr. mío: Como continuación a mi Despacho n°. 856, de fecha 27 de octubre último, y anteriores sobre las medidas generales dispuestas con respecto a las personas consideradas como judías y que directa e indirectamente afectan a los miembros de la Colonia española de origen israelita, tengo la honra de pasar a manos de V.E. el recorte de prensa que se acompaña, en el que se reseña el procedimiento que se seguirá para la venta de los inmuebles pertenecientes a los judíos. Hasta el momento presente no tengo conocimiento que dicha medida será aplicada a los judíos españoles, que, según conoce V.E., gozan de un régimen especial en lo que se refiere a sus bienes, que están administrados por las personas designadas por la Cámara de Comercio Española.

Dios guarde a V.E. muchos años.
El Cónsul General
Bernardo Rolland

Excmo. Sr. Ministro de Asuntos Exteriores. Madrid.

---

[84] Ibídem: Despacho dirigido por el Cónsul General de España en París, Bernardo Rolland, al Ministro de Asuntos Exteriores, Ramón Serrano Súñer, París, 8 de noviembre de 1941.

21. Se envían a España los textos de la Ley de 17 y 29 de noviembre relativa al Estatuto de los judíos (diciembre, 1941)[85]

Excmo. Sr.

En adición a correspondencia anterior sobre el particular, adjunto me permito remitir a V.E. los textos de la Ley de 17 de Noviembre y 29 del mismo mes relativa al Estatuto de los judíos. Por la primera se modifica el artículo 5 de la Ley de 2 de Junio último estableciendo y ampliando las profesiones que les son prohibidas. Por la segunda se establece una Unión General de los israelitas en Francia cuya finalidad es la de dar representación a los judíos ante los poderes públicos particularmente en cuestiones de asistencia y previsión social, quedando esta Unión, de la que todos los judíos domiciliados o residentes en Francia deben formar parte, bajo el control del Gobierno y directamente del Comisario General para cuestiones judías.

Dios guarde a V.E. muchos años.

El Embajador de España

José F. de Lequerica

Excmo. Sr. Ministro de Asuntos Exteriores. Madrid.

---

[85] Ibídem: Despacho dirigido por el Embajador de España en Vichy, José Félix de Lequerica, al Ministro de Asuntos Exteriores, Ramón Serrano Súñer, Vichy, 2 de diciembre de 1941.

22. Sobre medidas que afectan a judíos españoles (enero, 1942)[86]

Excmo. Sr.

Muy Sr. mío: Como continuación al despacho nº 11, de fecha 6 del corriente, y anteriores sobre la situación de las personas consideradas como judías y, en especial, de los sefarditas españoles, cúmpleme pasar a manos de V.E. el recorte de prensa que se acompaña, en el que se inserta la disposición de la Prefectura de policía poniendo en vigor lo establecido en la reciente Ley de 17 de noviembre del año pasado, relativa a las actividades que quedan prohibidas para los judíos.

En la citada disposición se establece la presentación de los judíos de nacionalidad extranjera ante las autoridades competentes.

París, 20 de enero de 1942.
Dios guarde a V.E. muchos años.
El Cónsul General
Bernardo Rolland

---

[86] Ibídem: Despacho dirigido por el Cónsul General de España en París, Bernardo Rolland, al Ministro de Asuntos Exteriores, Ramón Serrano Súñer, París, 20 de enero de 1942.

23. La Embajada alemana muestra su desagrado por el Cónsul Rolland (febrero, 1942)[87]

Excmo. Señor D. Ramón SERRANO SÚÑER
MADRID

Mi querido Jefe y amigo:

El lunes 2, pocas horas antes de salir de París, vino a verme el Consejero de la Embajada alemana Sr. Achenbach, para exponerme en nombre de su jefe, el desagrado de la Embajada en París por la conducta del Cónsul de España Sr. Rolland.

Según la Embajada, el Sr. Rolland se dirige a ellos en términos poco amistosos; tuvo un incidente desagradable con la secretaria Srta. Stefanski, a la que, según dicen, trató duramente; en reuniones habla del triunfo de Inglaterra criticando a Alemania; e incluso, me lo decía Achenbach riéndose un poco pero con seriedad interior, en alguna ocasión acusó a los miembros de la representación alemana de utilizar el mercado negro. Era tal la situación, en consecuencia, que había órdenes terminantes de no invitar a Rolland a la Embajada del Reich ni a las ceremonias alemanas.

En conclusión, me rogó muy amablemente indicara a usted los deseos de la Embajada de ver al Sr. Rolland ocupar un cargo tan importante como sus indiscutidos méritos justifican, pero que no sea el Consulado de España en París.

---

[87] Ibídem: Carta dirigida por el Embajador de España en Vichy, José Félix de Lequerica, al Ministro de Asuntos Exteriores, Ramón Serrano Súñer, Vichy, 4 de febrero de 1942.

Pensaban, me dijo Achenbach, formular esta demanda en nota oficial dirigida al Gobierno por mediación del Embajador en Madrid, pero dadas sus relaciones con España les ha parecido más amistoso el procedimiento oficioso. Y además, recalcó mucho, desean evitar al Sr. Rolland cualquier perjuicio en su carrera al quedar constancia oficial, pues le consideran persona correcta y digna de consideración lamentando esta discrepancia.

Poco después vino el Embajador Welzeck[88], de paso en París, a decirme lo mismo. Creí comprender por cuanto me expuso que su amistad hacia Rolland, antigua y sólida, quizás pesó en la decisión alemana de no hacer la gestión en nota de la Embajada.

Utilizo pues la primera valija para ponerlo reservadamente en su conocimiento. A nadie he dicho nada, ni[89] por supuesto a Rolland, sin que usted lo sepa, pues otra cosa sería no cumplir el encargo y crear una complicación de explicaciones y comentarios en París contraria a la intención de los alemanes.

Es muy poco agradable para mí tener que hacerlo. Rolland me parece un Cónsul excelente, lleno de dignidad, representativo y muy atento a la colonia. Da autoridad al puesto; y tanto él como su mujer han sido durante toda la Embajada amigos leales y muy eficaces colaboradores.

¿Qué ha podido ocurrir este año y medio de mi ausencia en relación con la Embajada alemana?

---

[88] Welzeck era el Embajador de Alemania en Madrid.
[89] Señalar que el original de este documento fue escrito a mano, y en el A.M.A.E. hemos hallado una copia mecanografiada en la que la palabra **ni** figura como **sí.** Lo mismo sucede cuatro líneas más abajo con la palabra **Da** que aparece como **De.** Véase reproducción facsimilar, pp. 195-196.

Una vez cumplido el encargo con toda reserva ¿le parece a usted conveniente que llame a Rolland a Vichy, le ponga al corriente y vea si es todavía tiempo de buscar en unas explicaciones el arreglo del enojoso asunto? ¿O que yo mismo trate de restablecer en París la armonía de nuestro Consulado y la representación ocupante?

Usted conoce la psicología alemana y la situación de conjunto. Y sobre todo usted manda y espero órdenes.

Escribo a mano haciendo un supremo esfuerzo caligráfico dentro de mis medios, por la extremada delicadeza del asunto.

Sin más, ya sabe, es suyo subordinado y amigo muy sincero que con todo afecto le saluda,

y e.s.m.

24. El Secretario de la Cámara de Comercio de España en París expone en Madrid la situación de los sefardíes en Francia (marzo, 1942)[90]

Excmo. Sr.

Se ha recibido en este Ministerio la visita del Sr. Montealegre, Secretario de la Cámara de Comercio en esa capital, que ha venido a exponer la difícil situación en que se encuentran los súbditos españoles de origen sefardita residentes en Francia, asunto del que se tenía conocimiento por diferentes Despachos de la Embajada y de ese Consulado General.

---

[90] A.M.A.E., R., leg. 1.716, exp. 3: Despacho dirigido por el Subsecretario de Estado al Cónsul General de España en París, Bernardo Rolland, Madrid, 7 de marzo de 1942.

El hecho de que el Gobierno español no ponga dificultades para que dichos súbditos se sometan a ciertas medidas, como las que han sido objeto de más de una comunicación de V. S. I., no significa que se hayan de dejar sin el debido amparo los derechos de cada uno de ellos, dentro de lo establecido en el acuerdo Hispano-Francés de 1862.

En vista de lo anteriormente expuesto, de orden comunicada por el Sr. Ministro de Asuntos Exteriores, deberá V.S.I., dentro de las normas e instrucciones que ya ha recibido, defender los intereses de los súbditos españoles de origen sefardita, exigiendo a las Autoridades francesas el cumplimiento del citado Acuerdo.

Dios guarde a V.S.I. muchos años.

El Subsecretario INTº.

Sr. Cónsul General de España en París.

25. El embajador de España en Vichy destaca el celo de Rolland en favor de los sefardíes (marzo, 1942)[91]

Excmo. Sr.

He recibido la orden comunicada de V.E. nº. 63 en la que ratifica sus siempre acertadas disposiciones sobre la conducta a observar por esta Embajada con los sefarditas españoles, con motivo de la visita del Secretario de la Cámara de Comercio de España en París al Ministerio de su digno cargo.

Constantemente se ha atendido a los intereses de estos súbditos españoles en las dos zonas francesas. Debo señalar muy especialmente el celo desplegado por el Sr. Cónsul General de España en París, gracias a cuya acción se ha conseguido el nombramiento, por las Autoridades alemanas de ocupación, de administradores españoles para los citados sefarditas. En nuestra zona, en los pocos casos presentados, he dado instrucciones a los Cónsules indicándoles siguieran igual sistema.

En este delicado asunto los países de tendencia democrática, para emplear la absurda terminología corriente, o dentro de la esfera de acción de Estados Unidos, han planteado el problema en términos tajantes y majestuosos declarando a las Autoridades francesas que los judíos de sus respectivas nacionalidades no eran sino súbditos del tipo corriente, sea cual fuere la religión profesada por ellos.

El resultado, por cuanto he podido ver en mis contactos con el Comisario para las cuestiones judías Sr. Vallat, no ha correspondido a tan

---

[91] A.M.A.E., R., leg. 1.716, exp. 3: Despacho dirigido por el Embajador de España en Vichy, José Félix de Lequerica, al Ministro de Asuntos Exteriores, Ramón Serrano Súñer, Vichy, 16 de marzo de 1942.

arrogante sistema, pues ni siquiera el nombramiento de administradores de los países de su origen ha conseguido hasta ahora.

26. Las autoridades alemanas insisten en el alejamiento del Cónsul Rolland de París (mayo, 1942)[92]

Vichy, 13 de mayo de 1942

Mi querido jefe y amigo: Durante mi breve estancia en París me han visto el Ministro de Alemania Schleier y el Consejero encargado del cuerpo diplomático Von Kraft, para reiterarme sus deseos, que usted conoce, respecto al Cónsul Sr. Rolland.

Les dije que había hablado con usted en Madrid y que a mi regreso el 13 de Abril durante las breves horas pasadas en París llamé al Sr. Rolland para transmitirle sus órdenes, a las que el Sr. Rolland mostró no solo el más completo acatamiento como era natural y obligado, sino adhesión íntima y conformidad de opinión. Añadió Rolland, y se lo repetí también a mis interlocutores, que quizás por frecuentar él y su señora la sociedad de muchos amigos franceses ante los cuales debía expresarse con comedimiento, se había quizás interpretado mal su estado de espíritu.

Los Sres. Schleier y Von Kraft insistieron en su pretensión rogándome se la transmitiera. Quieren evitar la reclamación oficial por consideración a España y personal al Sr. Rolland; pero han perdido la esperanza y desean su alejamiento de París.

---

[92] Ibídem: Despacho dirigido por el Embajador de España en Vichy, José Félix de Lequerica, al Ministro de Asuntos Exteriores, Ramón Serrano Súñer, Vichy, 13 de mayo de 1942.

Con verdadera contrariedad y sin añadir ningún nuevo comentario a los expuestos en mi primera carta cumplo este desagradable cometido.

Y aprovecho la oportunidad para reiterarme suyo subordinado y amigo verdadero q.e.s.m.

27. Alemania sigue insistiendo en alejar a Rolland por proteger a muchos judíos (mayo, 1942)[93]

Nota de 4 de mayo

El domingo último, me entrevisté con el jefe de la Policía alemana en Francia, a requerimiento suyo, para zanjar diversos asuntos relacionados con los refugiados españoles, pero al acabar éstos, me rogó informara a V.E. de una decisión que las Autoridades alemanas quieren tomar con nuestro Cónsul General en ésta, D. Bernardo Rolland, y que, por lo visto, desean que la determinación pase desapercibida al gran público, por nuestro conducto policial y reservado, en vez de hacer oficialmente la solicitud al Ministerio de Asuntos Exteriores.

Desean, escueta y simplemente, que el Sr. Rolland sea destinado fuera de Francia, con la mayor urgencia posible y, aunque me dijeron que no podían darme todos los detalles de la razón que les movía a pedir el traslado de dicho Cónsul General, me dieron a entender que los motivos, entre otros, eran el haber protegido muchos judíos aquí residentes. Pero me insistieron mucho en que diera parte a V.E. para, como le indico, que el asunto no trascendiera y que

---

[93] Ibídem: Despacho dirigido por el Director General de Seguridad al Ministro de Asuntos Exteriores, Ramón Serrano Súñer, Madrid, 21 de mayo de 1942.

V.E. lo arreglara confidencialmente en Madrid con el Ministerio de Asuntos Exteriores, antes de que ellos se vieran obligados a dar cuenta a Berlín y, de allí, a Madrid, con el escándalo consiguiente para el futuro del interesado.

No hago sino transmitirle lo que me dijeron sobre el particular. Ahora bien, deseo hacer constar a V.E. que el Cónsul General Sr. Rolland ha tenido, para con este Servicio, toda clase de atenciones y su colaboración nos fue siempre muy eficaz. Los motivos de la petición que me hacen las Autoridades alemanas, aunque no me las indiquen por completo, yo me las imagino y paso a decírselas a V.E. confidencialmente: En el Consulado General ha habido una serie de elementos, que decían ayudar a los servicios de información del Alto Estado Mayor nuestro y que, protegidos por el representante de dicho Organismo en ésta, así como el pomposo título de "Consejeros Jurídicos" han venido haciendo infinidad de negocios particulares, principalmente con judíos, a los que protegían el capital, la casa, los coches y, en ocasiones, les facilitaban la huida de esta zona, con dirección a la otra, así como a América, todo ello mediante retribuciones que, muchas veces, pasaron de fabulosas. Me refiero a los DUQUE FERNÁNDEZ DE PINEDO, FRANCISCO MACÍAS y otros que ayudaban a dicho Servicio de Información. Precisamente en estos días preparaba yo un informe sobre el particular que he de elevar a V.E. Cuanto antecede lo realizaron durante cerca de un año, valiéndose de la bondad reconocida del Cónsul General, extrañándose toda la colonia en ésta que un individuo que estuvo siempre comerciando con los rojos, como DUQUE FERNÁNDEZ DE PINEDO, entrase y saliese de España con la facilidad que lo hace, protegido por algunas personas influyentes de nuestra Península, con los que estaba en contacto, por lo visto, para sus negocios.

Precisamente hace unos dos meses, este DUQUE fue detenido por las Autoridades alemanas en ésta, por esos negocios de "ganster" y solo fue dejado en libertad por presiones de ésa. Seguramente, durante su detención, dijo muchas cosas a la Policía alemana sobre el Consulado, pues es, a partir de entonces, desde cuando ya iniciaron su campaña contra el Cónsul. Una de las cosas que viene haciendo, desde antes de la guerra incluso, el repetido DUQUE, es proteger a judíos para embarcar con rumbo a América.

Por otra parte, muchos judíos españoles, nacionalizados desde el año 1913 -hubo en esa época, me parece, una Ley que autorizaba a los judíos descendientes de los que fueron expulsados de España, a nacionalizarse españoles y a ella se acogieron principalmente en Constantinopla- en los momentos peligrosos para ellos, al llegar los alemanes se acogieron a nuestro Consulado y nuestro Cónsul General les trató como tales españoles. Y esto, aunque se hayan explicado las causas al ocupante, no parece agradarle mucho, por tratarse de judíos, el enemigo nº. 1, según sus declaraciones.

Todo esto unido, quizá, a sentimientos más bien anglófilos, ha hecho que la actuación de nuestro Cónsul General haya sido seguida de cerca, con prevención que culminó en la entrevista de que le hablo y que expongo a V.E. para que, con su superior conocimiento, autoridad y experiencia, decida lo que crea conveniente.

Nota de 10 de mayo

Respecto al asunto del Cónsul General, estima el Embajador que, dadas las condiciones de honorabilidad, bondad y trabajo que concurren en dicho diplomático, deberíamos llevar al ánimo de los alemanes que quizá fuese más conveniente continuase el Sr. Rolland y no exponernos a que, en su lugar, envíen otra persona que no llegaría, ni con mucho, a reunir las cualidades que rodean al actual Cónsul General. Añadió el Embajador que, seguramente, un toque de atención por parte del Ministerio de Asuntos Exteriores sería lo suficiente para que el Sr. Rolland cambiase su línea de conducta con respecto a los judíos, nacionalizados españoles, así como con respecto a las Autoridades de ocupación.

Madrid, 21 de mayo de 1942

28. El Cónsul General informa a España sobre las nuevas medidas de represión contra los judíos (julio, 1942)[94]

Excmo. Sr.

Muy Sr. mío: Para el debido conocimiento e información de V.E., tengo la honra de remitir el recorte de prensa[95] que se acompaña, en donde aparecen las nuevas medidas adoptadas el 10 del corriente por las Autoridades alemanas, en vista de los recientes atentados cometidos contra miembros del Ejército de ocupación y por los diferentes actos de sabotaje registrados. Las recientes medidas severas se refieren a los familiares de los culpables en vista de que las, hasta ahora, se venían adoptando contra los rehenes no han tenido eficacia suficiente.

Dios guarde a V.E. muchos años.
El Cónsul General
Bernardo Rolland

Excmo. Sr. Ministro de Asuntos Exteriores. Madrid.

---

[94] Ibídem: Despacho dirigido por el Cónsul General de España en París, Bernardo Rolland, al Ministro de Asuntos Exteriores, Ramón Serrano Súñer, París, 13 de julio de 1942.
[95] Véase Apéndice Documental, sección prensa, p. 164.

29. Se prohíbe a los judíos asistir a los establecimientos públicos (julio, 1943)[96]

Excmo. Sr.

Muy Sr. mío: Para el debido conocimiento de V.E., tengo la honra de remitir el recorte de prensa[97] que se acompaña, en el que aparece lo dispuesto por las Ordenanzas de las Autoridades competentes de ocupación, de fecha 8 del corriente, por la que se prohíbe a los judíos acudir a los establecimientos públicos y a los lugares que se enumeran.

De esta medida quedan exceptuados los judíos súbditos de los países no ocupados por las fuerzas del Eje, que hasta el momento tampoco han sido obligados a llevar la estrella de Sión.

Dios guarde a V.E. muchos años.
El Cónsul General
Bernardo Rolland

Excmo. Sr. Ministro de Asuntos Exteriores. Madrid.

---

[96] A.M.A.E., R., leg. 1.716, exp. 3: Despacho dirigido por el Cónsul General de España en París, Bernardo Rolland, al Ministro de Asuntos Exteriores, Ramón Serrano Súñer, París, 15 de julio de 1942.
[97] Véase Apéndice Documental, sección prensa, p. 165.

30. El Cónsul Rolland comunica al Director del Comisariado de las cuestiones judías que la ley española no distingue entre ciudadanos de distinta religión (julio, 1942)[98]

> Monsieur le Directeur-Adjoint du Statut des Personnes du Commissariat General aux questions Juives, 2, rue Petits Pères. PARIS

> Monsieur le Directeur,

En réponse à votre aimable communication du 22 courant, j'ai l'honneur de vous faire connaître que la loi espagnole ne fait aucune distinction entre ses ressortissants ou fait de leur confesssion, en conséquence, elle considère les séfardites espagnoles, bien que de confession mosaique, come des espagnols.

Je serais gré aux autorités françaises et aux autorités d'occupation, de vouloir bien en raison de ce fait, que les lois portant statuts sur les juifs ne leur soient pas appliquées.

Veuillez agréer, Monsieur le Directeur, l'assurance de ma considération très distinguée.

> Le Consul Géneral
> Bernardo Rolland

---

[98] A.M.A.E., R., leg. 1.716, exp. 3: Despacho dirigido por el Cónsul General de España en París, Bernardo Rolland, al Director-Adjunto del Statut des Personnes du Commissariat General aux questions Juives, París, 23 de julio de 1942.

31. Trato de favor en la aplicación de la legislación francesa a los judíos españoles en Francia (agosto, 1942)[99]

La legación de Suiza saluda atentamente al Ministerio de Asuntos Exteriores y tiene el honor de confirmarle el contenido de su Nota Verbal del 13 de Julio u otras anteriores, especialmente la pro memoria del 17 de Febrero, referente a un trato de favor que debe existir en cuanto a la aplicación de la legislación francesa a los judíos españoles en Francia.

La Legación de Suiza agradecería al Ministerio de Asuntos Exteriores una contestación sobre el particular en el más breve plazo posible.

Madrid, 5 de Agosto de 1942

32. Nombramiento de administradores provisionales encargados de liquidar las empresas judías (agosto, 1942)[100]

Excmo. Sr.

Muy Sr. mío: Para la debida información de V.E., tengo la honra de acompañar al presente Despacho el recorte de prensa que se acompaña en el que se da cuenta de la labor realizada durante estos dos años por la Comisaría general para los asuntos judíos.

En lo que se refiere a las empresas pertenecientes a judíos de nacionalidades extranjeras, también se da cuenta del nombramiento de

---

[99] Ibídem: Nota verbal dirigida por la Legación de Suiza en España al Ministro de Asuntos Exteriores, Ramón Serrano Súñer, Madrid, 5 de agosto de 1942.

[100] Ibídem: Despacho dirigido por el Cónsul General de España en París, Bernardo Rolland, al Ministro de Asuntos Exteriores, Ramón Serrano Súñer, París, 11 de agosto de 1942.

administradores provisionales encargados de la liquidación de dichas empresas[101].

Dios guarde a V.E. muchos años.

El Cónsul General

Bernardo Rolland

Excmo. Sr. Ministro de Asuntos Exteriores. Madrid.

33. La cuestión judía y la iglesia de Francia (septiembre, 1942)[102]

Excmo. Sr.

Me permito enviar a V.E., como complemento a anteriores informaciones, un artículo de "L'Action Française", firmado por el redactor Delebeoque, sobre la cuestión judía y el escándalo interesado producido alrededor de ella.

Precisamente por ser de toda la prensa en zona libre "L'Action Française" el periódico más hostil doctrinalmente a Alemania, toman verdadero valor las afirmaciones del escrito en el cual no falta una bien clara amonestación a los prelados impulsivos autores de las pastorales prosemitas.

---

[101] Véase Apéndice Documental, sección prensa, p. 166.
[102] A.M.A.E., R., leg. 1.716, exp. 3: Despacho dirigido por el Embajador de España en Vichy, José Félix de Lequerica, al Ministro de Asuntos Exteriores, Francisco Gómez Jordana (nuevo Ministro de Asuntos Exteriores desde el 3 de septiembre de 1942), Vichy, 23 de septiembre de 1942.

Es, efectivamente, el director de orquesta invisible, como dice el articulista, quien dirige todo este movimiento y cada vez parece más doloroso ver a algunas jerarquías católicas participar en él.

Nada nuevo conozco sobre las conversaciones del Presidente Laval con la Nunciatura. No ha regresado todavía Monseñor Valeri y hoy, me dicen, se encuentra aquí el Embajador de Francia en el Vaticano M. Bérard, pero aún no he podido comprobarlo. De todas maneras, la violencia de las críticas parece va remitiendo un poco, aun cuando el Gobierno francés mantiene sus medidas.

A propósito de cuanto he dicho a V.E. en mis últimos despachos sobre el espíritu político e interesado de los prelados franceses coadyuvantes al gran movimiento judío antialemán, lleno de buen sentido me lo confirmaba un religioso español de paso aquí estos días, el Sr. P. Caralt, de Barcelona, quien ha visto recientemente al Cardenal Gerlier[103], amigo suyo, y venía a pedir mi opinión, por encargo del Cardenal, sobre la posibilidad de organizar en España un grupo de niños cantores semejante al de "Les Croix de Bois". Con su malicia sana de hombre virtuoso me decía al oído el religioso catalán: "En el fondo, con todas estas cosas, el Cardenal Gerlier no piensa sino en evitar que España reclame a Francia Marruecos y compensarnos con satisfacciones y delicadezas espirituales".

> Dios guarde a V.E. muchos años.
> El Embajador de España
> José F. de Lequerica

Excmo. Sr. Ministro de Asuntos Exteriores. Madrid.

---

[103] El Cardenal Gerlier sería reconocido "Justo entre las Naciones" por el Yad Vashem el 15 de julio de 1980. Sobre su gestión en favor de los judíos véase Apéndice Documental, prensa, p. 168.

34. Estado en que se encuentra el problema sefardita desde la finalización del plazo del Decreto de Primo de Rivera (octubre, 1942)[104]

El problema sefardita, en la parte que hace referencia a la situación equívoca en que se encontraban los antiguos protegidos españoles o descendientes de éstos, debió haber quedado resuelto por el Real Decreto dictado por el presidente del Directorio Militar en 20 de Diciembre de 1924. Dicho Real Decreto concedió un plazo, que improrrogablemente había de terminar en 31 de Diciembre de 1930, para que los individuos de origen español, que venían siendo protegidos como si fueran españoles por los Agentes de España en el extranjero, pudieran promover expediente para la petición de cartas de naturales, determinando en el artículo 3 que, expirado dicho plazo, los individuos que en el transcurso del mismo no hubieran pedido la carta de naturaleza aprovechando las condiciones y requisitos mínimos mencionados en el artículo 1º, dejarían de tener la consideración de protegidos, cualquiera que fuera el fundamento que para ello alegasen y no podrían invocar en el futuro excepción alguna en la aplicación de las disposiciones vigentes en materia de nacionalidad.

Sin embargo, con posterioridad al 31 de Diciembre de 1930, llegaron a este Ministerio de Asuntos Exteriores instancias particulares y peticiones de carácter colectivo con la pretensión de que se ampliara el plazo para que pudieran obtener la nacionalidad española antiguos protegidos que no se habían acogido, a su debido tiempo, a los beneficios del mencionado Real Decreto.

A todos ellas, este Ministerio, siguiendo la pauta establecida por el de la Gobernación, contestó que no era posible dar curso a dichas solicitudes,

---

[104] A.M.A.E., R., leg. 1.716, exp. 3: Informe dirigido por el Director de Política Europea, Pelayo García Olay, al Ministro de Asuntos Exteriores, Francisco Gómez Jordana, sobre el estado del problema sefardí, Madrid, 2 de octubre de 1942.

porque los interesados tenían abiertos los caminos normales que establece nuestra Legación en materia de naturalización.

A partir de la promulgación de la Constitución de la República, cuyo artículo 23 decía que una ley establecería el procedimiento que facilitaría la adquisición de la nacionalidad española a las personas de origen español que residían en el extranjero, se presentó una nueva posibilidad con la promesa de la Ley a que se ha hecho referencia antes.

Como consecuencia del citado artículo 23 de la Constitución de la República, este Ministerio de Asuntos Exteriores dirigió, el 27 de Febrero de 1933, una circular a todos los representantes de España en el extranjero, pidiendo el envío de todos aquellos datos que pudieran servir para estudiar la posible nacionalización de los protegidos que quedaron sin hacerlo al expirar el plazo señalado por el Real Decreto de 1924 y a quienes podría aplicarse la Ley prevista en el artículo mencionado[105].

Poco tiempo después, en vista de que parecía probable la aprobación de la Ley que se había prometido y de las peticiones elevadas por algunos Representantes diplomáticos de España en los Balcanes y Levante, se autorizó (Orden del día 3 de Agosto de 1933 al Ministro de España en Bucarest), previa consulta al Ministerio, la concesión de certificados provisionales, válidos por seis meses, a aquellos individuos que, por encontrarse sin documentación, estuvieran amenazados de expulsión o de perjuicio en sus intereses morales y materiales, y cuyo origen español fuera indudable.

No se poseen datos precisos del número de sefarditas que se acogieron a esta posibilidad que se les ofreció, pero sería necesario enfrentarse con la realidad de la existencia de unos protegidos de nacionalidad como tales, no

---

[105] MORCILLO, M.: "Política cultural de España en los Balcanes...", pp. 179-222.

obstante los términos precisos del Real Decreto de 20 de Diciembre de 1924 y el hecho de no haberse promulgado nunca la Ley especial que prometía el artículo 23 de la Constitución de la República.

La circunstancia señalada ha venido a complicar aún más el problema que se nos ha presentado al aplicarse un trato discriminatorio a nuestros sefarditas que residen en varios de los países europeos que siguen una política antisemita.

Donde el problema tomó hasta ahora mayor gravedad ha sido en Francia, después de la ocupación alemana y al promulgarse las medidas contra los judíos aplicándolas a los dos mil sefarditas inscritos en el Consulado de España en París.

En el telegrama nº. 657, del 9 de Noviembre de 1940, dirigido al Señor Embajador de España en Vichy, se le decía que se diera únicamente por enterado de dichas medidas y, en último caso, no pusiera inconveniente a su ejecución, conservando una actitud pasiva. Se añadía que aunque en España no existe ley de razas, el Gobierno español no podía poner dificultades, aún en sus súbditos de origen judío, para evitar que se sometieran a medidas de carácter general.

Esta fue la pauta seguida en cuantas instrucciones se dieron a diferentes consulados españoles, tanto en la zona francesa ocupada como en la libre, Marruecos y Argelia, añadiéndose siempre que, cuando tuvieron que inscribirse nuestros sefarditas en algún registro especial o prestar alguna declaración en cuanto a sus bienes o de cualquier otra clase, necesitarían hacer constar su nacionalidad española, para que sean defendidos sus intereses como súbditos españoles.

Merced a este criterio y a gestiones posteriores, se logró en la zona ocupada de Francia que los bienes de los españoles de origen sefardita fuesen administrados por una Gerencia especial, encomendada a elementos españoles.

En los países balcánicos en donde han empezado a aplicarse medidas antisemitas, se ha mantenido el mismo criterio que contiene el telegrama al Embajador en Vichy antes citado, lográndose, en algunos casos, resultados tan ventajosos para nuestros connacionales de origen sefardita como el que refleja el Despacho nº. 410 del Ministro de España en Bucarest[106], que comunica la conformidad del Gobierno rumano en que los súbditos españoles vayan incluidos en unas disposiciones, últimamente aprobadas, según las cuales "los súbditos extranjeros que beneficien de un régimen convencional especial y de reciprocidad no sufrirán la expropiación de sus bienes a pesar de su origen étnico israelita".

Excmo. Sr.

2 de Octubre de 1942

Habida cuenta de lo que queda expuesto, la Dirección de Política Europea tiene la honra de proponer a V.E. lo siguiente:

1º. Que se remita una Circular a todas las Representaciones de España en el extranjero a fin de reunir en este Ministerio de Asuntos Exteriores datos exactos sobre el número de sefarditas que siguen gozando de la protección de España y a los que se continúa expidiendo certificados de nacionalidad. Al mismo tiempo que los nombres de dichos protegidos, convendría que cada Representante explicara a este Ministerio las razones por las cuales fueron expedidos los certificados de cada uno de ellos. Una vez en posesión de esos

---

[106] El Ministro de España en Bucarest era José Rojas Moreno, bisabuelo del exministro de Justicia, Alberto Ruiz Gallardón.

91

datos, debería estudiarse una solución definitiva del asunto, al objeto de que los propósitos que inspiraron el Real Decreto de 20 de Diciembre de 1924 no queden desvirtuados.

2°. Que se mantenga con todo empeño, tanto en Francia como en los demás países donde existen súbditos españoles de origen sefardita, el principio a que han respondido las instrucciones dadas al Señor Embajador de España en Vichy por el telegrama n°. 457 que se ha citado anteriormente, reforzando, en lo posible, dicho principio, hasta lograr de los Gobiernos respectivos un reconocimiento como el que contienen las disposiciones del gobierno de Bucarest mencionadas antes, llenas de buena doctrina.

V.E. resolverá.

P. G. Olay

35. El Embajador de España en Vichy informa sobre la situación del Cónsul Rolland (octubre, 1942)[107]

Vichy, 7 de octubre de 1942

Mi querido Jefe y amigo:

Por las cartas adjuntas, que en términos de total reserva, escrupulosamente observada, envié en diferentes fechas a su predecesor Sr. Serrano Súñer, podrá usted darse cuenta de las dificultades surgidas entre el Consulado General de España en París y las Autoridades alemanas de ocupación.

---

[107] A.M.A.E., R., leg. 1.716, exp. 3: Despacho dirigido por el Embajador de España en Vichy, José Félix de Lequerica, al Ministro de Asuntos Exteriores, Francisco Gómez Jordana, Vichy, 7 de octubre de 1942.

Concluyó mi intervención en este asunto transmitiendo a la Embajada de Alemania el deseo del Ministerio de que su reclamación la formulara en forma oficial. No sé lo que han hecho, y tengo la impresión de que este procedimiento contrariaba sus deseos y propósitos, precisamente encaminados a evitar toda apariencia de razonamiento con las autoridades de un país amigo y a dar tramitación puramente confidencial al delicado incidente.

Ahora me llega un rumor de buen origen y al cual concedo valor, sobre la decisión alemana de suprimir también todos los consulados de París. Y me añade mi informador que ello obedece, en parte principal, a su enojo permanente por la actitud y estado espiritual recogidos en mis cartas al Sr. Serrano. Deseando evitar una reclamación directa, piensan, se me dice, apelar a la medida general, más disimulada con relación a nosotros.

Quizás está usted informado en términos más precisos. Por mi parte, le repito, concedo importancia a este informe, pues otros del mismo origen han resultado fundados, y someto el caso a su consideración por si creyera oportuno algunas gestiones dentro de la reserva total propia de materia tan escabrosa, ya que, a mi juicio, habría verdadero empeño en salvar el Consulado de la capital.

Desaparecida la jurisdicción de nuestra Embajada en París y sometida a la de Berlín, la distancia y otra porción de aspectos fáciles de prever hacen difícil el contacto de nuestros funcionarios consulares y colonia con su nuevo superior jerárquico. Personalmente, de acuerdo con su predecesor, no ya solo con la benevolencia sino a requerimiento de los alemanes constantemente, seguí ocupándome de los asuntos de la antigua capital. El Consulado, con una deferencia por mí sinceramente agradecida en todo momento, me consulta y solicita incluso mis órdenes. Pero esta situación es prácticamente irregular y yo creo en rigor contrario a régimen establecido en la Francia oficial, donde, a pesar de la división en zonas, como usted sobradamente conoce, los Ministros ejercen su plena autoridad en la región ocupada. Si ahora encima desapareciera el Consulado, dada la complejidad de las cuestiones españolas, la importancia de la colonia y el interés nuestro en tener contactos en la capital francesa, la situación sería merecedora de preocupación.

Es éste un asunto delicadísimo del que, como puede ver en las copias de las cartas dirigidas a su predecesor, me ha costado siempre verdadero trabajo ocuparme y solo lo he hecho ante el concreto requerimiento de la Embajada de Alemania. No es el caso el mismo ahora, pues los alemanes hace tiempo nada me han dicho; pero dado su alcance, la sola posibilidad de verlo resucitar y en forma radical me mueve a someterlo confidencialmente a su consideración.

Se reitera siempre suyo subordinado amigo invariable.

q.e.s.m.

F. de Lequerica

36. Rolland informa sobre el paradero actual de la familia Levy (noviembre 1942)[108]

Monsieur le Secrétaire Général de "UNION GÉNÉRALE DES ISRAELITES DE FRANCE" –UGIF-

Rue de Téhéran, PARIS.

Monsieur le Secrétaire Général.

Je vous serait extrêmement obligé de vouloir bien, à fin de pouvoir répondre à la famille des intéresés, qui s'est adressée à ce Consulat General, informer cette Chancellerie, l'endroit'où puisse se trouver actuellement la famille israélite Mme. Juliette LEVY, de Chartres, ainsi que ses 4 enfants, Michelle 14 ans, Jean Paul 13 ans, Alain 11 ans et Catherine 9 ans, qui internée successivement par les Autorités Allemandes dans les Camps de Concentrations de ANGOULEME, POITIERS, DRANCY et derniérement à PITHIVIERS, d'où le 20 Septembre, est partie pour une destination inconnue.

En vous adressant mes remerciements, veuillez agréer, Monsieur le Secrétaire Général, l'assurance de ma considération distinguée.

Le Consul Général
Bernardo Rolland

---

[108] Ibídem: Despacho dirigido por el Cónsul General de España en París, Bernardo Rolland, al Secretario General de la Unión General de Israelitas de Francia, París, 30 de noviembre de 1942.

37. Ley sobre la estancia y circulación de judíos extranjeros en Francia (diciembre, 1942)[109]

Excmo. Sr.

Muy Sr. Mío: Adjunto tengo la honra de remitir a V.E. copia de la Ley nº. 979 de fecha 9 de noviembre de 1942, referente a la estancia y circulación de judíos extranjeros en esta Nación, publicada en el "Journal Officiel" nº. 293 de fecha 7 y 8 del corriente mes.

Las disposiciones de la presente Ley estando en contradicción con lo estipulado en el Convenio Consular franco español de fecha 7 de enero de 1862, actualmente en vigor, me permito solicitar de V.E. tenga a bien, si así lo considera oportuno, instrucciones sobre si, en razón de lo anteriormente expresado, este Consulado General pudiera pedir a las Autoridades competentes, medidas de excepción con referencia a los israelitas de nacionalidad española, debidamente inscritos en un Consulado de la Nación.

París, 14 de diciembre de 1942.
Dios guarde a V.E. muchos años.
El Cónsul General
Bernardo Rolland

---

[109] Ibídem: Despacho dirigido por el Cónsul General de España en París, Bernardo Rolland, al Ministro de Asuntos Exteriores, Francisco Gómez Jordana, París, 14 de diciembre de 1942.

38. Se piden a España instrucciones sobre la línea de conducta a seguir con los sefardíes (enero, 1943)[110]

Excmo. Sr.

La situación de los sefarditas en los países ocupados por las tropas alemanas es grave y constantemente se presentan en nuestras Representaciones diplomáticas y consulares o bien para reclamar por las medidas que contra ellos se toman por las autoridades alemanas o bien para solicitar pasaportes con objeto de venir a España.

Siendo difícil establecer una solución definitiva, jurídica y que siente una doctrina firme acerca del particular, convendría, a juicio del que subscribe, dar instrucciones, por el momento a título enteramente provisional y que permitan a nuestros Representantes trazarse una línea de conducta. Se trata de instrucciones más bien de tipo político que de contenido jurídico, más oportunistas que doctrinales. Los dos aspectos que habría que tener presentes son:

1°. Las medidas discriminatorias que las Autoridades locales toman respecto a los sefarditas españoles. En cuanto a este particular no es oportuno, por las corrientes de ideas del momento actual, alegar ante las Autoridades que siendo españoles son para nosotros de la misma condición que los nacidos en España. Eludiendo este aspecto, conviene más bien referirse a los bienes de los sefarditas pidiendo que sean respetados como bienes pertenecientes a españoles y que forman, por lo tanto, en cierto modo, parte de la riqueza nacional española. De suerte que, soslayando la cuestión de raza y religión, se apunte solamente a la cuestión económica evitando que sus bienes sean

---

[110] Ibídem: Oficio dirigido por el Director General de Política Exterior, José María Doussinague, al Ministro de Asuntos Exteriores, Francisco Gómez Jordana, Madrid, 18 de enero de 1943.

confiscados y requiriendo, si ello es necesario, que queden bajo un patronato de administración presidido por el Representante diplomático o consular de España.

2°. Deseo de los sefarditas de venir a establecerse en España. Ellos justifican este deseo, diciendo que siendo de nacionalidad española no se les puede negar venir a este país puesto que en todos, salvo en España, son extranjeros. A esto conviene contestar eludiendo la cuestión y manifestando que no tienen instrucciones especiales que modifiquen la situación anterior según la cual, España, que en tiempos de Capitulaciones en los Balcanes, había concedido la "protección" a algunos de los sefarditas de origen español allí establecidos, consideró que por razones de humanidad era oportuno al cesar el Régimen de las Capitulaciones[111] manifestar, ante los gobiernos de los países en que los sefarditas residían, que éstos tenían la nacionalidad española, si bien, para nosotros, a los efectos de la administración pública, seguían considerándose como protegidos. La concesión de la nacionalidad se les hizo, pues, para beneficio suyo y para tener ocasión de poderlos defender legalmente ante las Autoridades locales, pero sin que esto les equiparara a los hijos de españoles y educados en el ambiente y en el espíritu de España, respecto a los cuales existe una gran diferencia que no permite compararlos con los sefarditas.

Tratando así de eludir la cuestión de fondo, quedarían, por el momento, trazadas las líneas de conducta a que habrán de sujetarse nuestros Representantes. No obstante, V.E. resolverá.

Madrid, 18 de Enero de 1943.
José María Doussinague

---

[111] Tras la incorporación de Salónica a Grecia al finalizar las guerras balcánicas en 1913, el Tratado greco-turco de noviembre de 1913 ponía fin al Régimen de las Capitulaciones y a todos los privilegios derivados del mismo.

39. Las autoridades militares alemanas en Francia, Bélgica y Países Bajos harán extensivas a todos los judíos sin excepción las disposiciones vigentes sobre el trato para judíos (enero, 1943)[112]

Las Autoridades militares alemanas en Francia, Bélgica y Países Bajos prescindieron, hasta ahora, de poner en práctica, para un número de judíos extranjeros residentes en aquellos territorios, ciertas medidas que se habían tomado con respecto al trato de los judíos. Debido a la actitud observada por estos judíos, así como por razones de seguridad militar, ya no existe posibilidad, en lo futuro, de aplicarse un trato de excepción. Por lo tanto, las Autoridades de ocupación alemanas en los aludidos países se ven obligadas a hacer extensivas, a partir de 1º de abril del año en curso, a todos los judíos, sin excepción, las disposiciones vigentes concernientes al trato para judíos, incluso la obligación de llevar distintivo, la internación y el alejamiento de territorio posterior. Dichas disposiciones afectarán también a un número de judíos de nacionalidad española.

Considerando las relaciones amistosas que existen entre España y Alemania, esta Embajada, por orden de su gobierno, tiene el honor de poner en conocimiento del honorable Ministerio de Asuntos Exteriores, ya ahora, lo que antecede, manifestándole al mismo tiempo que las Autoridades alemanas están dispuestas a conceder, hasta el 31 de marzo del corriente año, previo examen de cada caso, el correspondiente permiso de salida a los judíos de nacionalidad española, caso de tener el Gobierno español el propósito de repatriarlos desde los citados territorios sujetos al control alemán. Una vez vencido el plazo de 31 de marzo a. c. no será posible ya a las Autoridades alemanas seguir el trato especial concedido hasta ahora a los judíos de nacionalidad española.

---

[112] A.M.A.E., R., leg. 1.716, exp. 3: Apunte dirigido por la Embajada de Alemania en España al Ministerio de Asuntos Exteriores, Madrid, 26 de enero de 1943.

La Embajada de Alemania quedaría muy agradecida al Ministerio de Asuntos Exteriores de una pronta comunicación sobre lo que el Gobierno español haya tenido a bien resolver con respecto a la repatriación a efectuar hasta el 31 de marzo a. c. de los judíos objetos de este Apunte.

Madrid, 26 de Enero de 1943.

40. Las autoridades alemanas facilitarán la salida de los sefardíes de nacionalidad española de Francia, Bélgica y Holanda (enero, 1943)[113]

Excmo. Sr.

La adjunta Nota de la Embajada alemana plantea el grave dilema de abandonar a los sefarditas españoles, renunciando a su protección, y dejarles que sigan el régimen general de campos de concentración previsto para sus correligionarios en Francia, Bélgica y Holanda, o traerlos a España.

En efecto, las autoridades alemanas desean reforzar sus medidas antisemitas a partir del 31 de marzo, manifestando, sin embargo, que por deferencia a España nos lo comunican con anticipación y están dispuestas a dar toda clase de facilidades para que en dicha fecha salgan de esos países los sefarditas de nacionalidad española.

Si España abandona a los sefarditas y les deja caer bajo el peso de las disposiciones antisemitas, corremos el riesgo de que se agrave la hostilidad existente contra nosotros, especialmente en América, acusándosenos de verdugos, cómplices de asesinatos, etc. como se ha hecho ya reiteradamente.

---

[113] Ibídem: Oficio dirigido por el Director General de Política Exterior, José María Doussinague, al Ministro de Asuntos Exteriores, Francisco Gómez Jordana, Madrid, 28 de enero de 1943.

Por otra parte, es necesario precisar cuál va a ser el régimen a que se someta a estos sefarditas y caso de abandonarlos a la libre voluntad de las autoridades alemanas correríamos el riesgo de no poder defender sus bienes que en cierto modo forman parte del Patrimonio nacional.

No es tampoco aceptable la solución de traerlos a España, donde su raza, su dinero, su anglofilia y su masonería los convertiría en agentes de toda clase de intrigas.

Por lo tanto, parece conveniente inclinarse por alguna de las soluciones siguientes:

Primera. Obtener de las autoridades alemanas que salgan esos sefarditas españoles de Francia, de Bélgica y Holanda, pero no para venir a España, sino para ser enviados a su lugar de nacimiento, que en general será Salónica, Constantinopla, Esmirna o algún punto de los Balcanes, quedando sus bienes administrados por Cónsules y Representantes de España.

Segunda. O bien que se gestione con la Cruz Roja Internacional u otra Institución que se haga cargo de ellos y les facilite el visado y pasaje para cualquier otro país y sólo atravesarían España en tránsito, quedando sus bienes en la forma dicha.

Tercera. Cabe también una solución ecléctica dando a elegir a dichos sefarditas españoles y a las autoridades alemanas una de las dos soluciones anteriores.

El Director General de Política Exterior que suscribe tiene la honra de proponer a V.E. que en este sentido se oficie al señor Embajador de España en Berlín para que haga rápidamente las gestiones necesarias, sin perjuicio de tratar el asunto también al mismo tiempo con la Representación alemana en Madrid. No obstante, V.E. resolverá.

Madrid, 28 de enero de 1943.

Doussinague

41. El Embajador de España en Vichy señala que, entre los repatriados a España, cada vez viajan más judíos naturalizados (enero, 1943)[114]

De un tiempo a esta parte, hemos venido observand o que en los repatriamientos que mensualmente realiza nuestro Consulado General en esta Capital salen incluidos para España una serie de elementos judíos, naturalizados españoles, que va en aumento progresivo en lugar de disminuir o estacionarse.

En la guerra anterior 1914-1918 salió, por lo visto, un Real Decreto por el que se autorizaba a todos los judíos descendientes de los que fueron expulsados de España para adquirir nuestra nacionalidad. Muchos de ellos la adquirieron a la sazón, pero la mayoría no se preocupó de ello. Y es ahora, temerosos de las represalias del ocupante, cuando parecen acordarse. Y, una vez nacionalizados, se marchan para instalarse en la Península. En la expedición que sale para nuestro país dentro de unos días, casi la mitad de la misma es judía. He aquí los nombres:

Amariglio Benveniste, de 12 años

Jacobo Amariglio Benveniste, de 48 años

Mair Benveniste Amon, de 30 años

Santiago Benveniste, de 29 años

Andrés Carasso Carasso, de 26 años

Esther Carasso, de 63 años

Alberto Nahim Carasso,

Ina Safarti, de 40 años

Rachel Bensorana, de 38 años

Olga Hassid Achion, de 54 años

---

[114] Ibídem: Nota informativa dirigida por la Embajada de España en Vichy al Ministro de Asuntos Exteriores, Francisco Gómez Jordana, Vichy, 28 de enero de 1943.

Rafael Amariglio Benaviste,

Sol Simha Benaviste, de 51 años

Andrea Saporta, de 33 años

Julia Halfon, de 40 años

Isaac Jacobo Carasso, de 70 años

Victoria Nalewanski, de 33 años

Nené Jesna Beja, de 47 años

Leon Pérez Achion, de 42 años

Lario Saporta, de 59 años

Casi todos ellos nacidos en Salónica y, según nos informan, a su llegada a la Península no son objeto de ninguna vigilancia, por tratarse naturalmente de súbditos españoles[115].

42. Situación de los judíos españoles (febrero, 1943)[116]

Excmo. Sr.

Muy Sr. mío: Refiriéndome a la Orden de V.E. n°. 909, 15F2, Europa, de fecha de 31 diciembre último y con relación a las recientes medidas tomadas por las autoridades francesas con respecto a los judíos extranjeros, entre las que figura la del internamiento de aquellos domiciliados en los departamentos fronterizos y la de la incorporación en campos de trabajadores de los israelitas

---

[115] De los 19 judíos que aparecen en la lista, solo cinco estaban inscritos en el Consulado General de España en París.

[116] A.M.A.E., R., leg. 1.716, exp. 3: Despacho dirigido por el Cónsul General de España en París, Bernardo Rolland, al Ministro de Asuntos Exteriores, Francisco Gómez Jordana, París, 10 de febrero de 1943.

solteros que han entrado en Francia después de 1°. de Enero de 1933, tengo la honra de poner en conocimiento de V.E. que el Señor Embajador en Vichy me comunica que la primera medida ha quedado momentáneamente suspendida para los españoles y que con respecto a la siguiente el Ministerio de Negocios Extranjeros propone como solución para los israelitas de origen español que se les autorice a regresar al país de origen, entendiendo por tal el que habían habitado antes de venir a Francia.

Como la gran mayoría de los súbditos españoles de origen judío, residente en la demarcación de este Consulado General, proceden de países balcánicos a los cuales no es probable que sean expedidos por existir disposiciones raciales similares, que además limitan la inmigración de los judíos, con fecha 9 del corriente he consultado al Embajador en Vichy sobre la posibilidad de que se dirijan a España aquellos que así lo deseen.

A título informativo pongo en conocimiento de V.E. que el Cónsul General de Italia me ha manifestado que, con motivo de las disposiciones dictadas en Francia con respecto a los judíos extranjeros y como solución para los de nacionalidad italiana, se ha invitado a los mismos a que se reintegren a Italia, habiendo llegado a un arreglo para verificar la repatriación a fines de mayo próximo, permitiéndoseles llevar consigo sus bienes.

43. Carta dirigida por un grupo de sefardíes al general Franco (febrero, 1943)[117]

Excmo. Sr.

Los que suscriben, en nombre propio y en el de todos los sefarditas de nacionalidad española residentes en Francia, tienen el honor de someter a vuestra alta consideración lo que pasan a EXPONER:

Desde la ocupación del territorio francés por las Autoridades alemanas, éstas y las francesas han venido promulgando leyes y ordenanzas de carácter restrictivo contra los judíos, disposiciones que los colocan al margen de la sociedad, en detrimento de la dignidad humana, ordenando el acaparamiento de sus bienes y deportándoles en masa, sin excluir mujeres, niños y ancianos, con destinaciones desconocidas.

Como consecuencia de la superposición de los textos alemanes y franceses, estas medidas de restricción son aplicadas a las personas de raza judía y de confesión mosaica, y a sus descendientes. Para diferenciarlos se ha formalizado un registro especial de todos, se han fijado estampillas con la palabra *juif* (judío) en sus documentos de identidad y se les ha impuesto la obligación de llevar en sitio visible de su persona la estrella amarilla con la inscripción *juif*; de esta última medida tan solo han sido exceptuados los judíos súbditos de países neutrales. En la aplicación de estas medidas, cuya crueldad inútil es hacer resaltar, hemos sido comprendidos los sefarditas españoles con desconocimiento de nuestra nacionalidad.

---

[117] Ibídem: Carta dirigida por un grupo de sefardíes al General Francisco Franco, París, 15 de febrero de 1943.

Para formarse una idea sumaria de nuestros sufrimientos morales, físicos y materiales séanos permitido, Excmo. Sr., enumerar algunas de las disposiciones aludidas:

A) Privación de salir de nuestros domicilios después de las ocho de la noche; de viajar fuera de los límites del municipio de nuestra residencia; hacer uso del teléfono privado y público; escuchar la radio; concurrir a teatros, conferencias, conciertos y restaurantes; visitar bibliotecas, parques, museos, piscinas, etc.

B) Prohibición de ejercer las profesiones liberales, así como ocupar empleos que obliguen a estar en contacto con el pueblo.

C) Imposición de Comisarios-Gerentes en todas nuestras empresas y negocios que llevan nuestro nombre, y de cuya gestión asumimos nosotros los riesgos y la responsabilidad, etc., etc.

Debemos consignar que el Señor Cónsul General ha escuchado siempre con el mayor interés nuestras lamentaciones y que, merced a su intervención, se ha obtenido satisfacción, más de una vez, ora respecto del internamiento de nuestros nacionales ora respecto de la ocupación de nuestros bienes, y al mismo debemos también la designación de españoles para Comisarios-Gerentes en nuestros negocios.

Indudablemente convendrá V.E. que estamos atravesando uno de los periodos más tristes humillantes que puedan vivir hombres como nosotros, añadiendo la angustia y el miedo creados por el terror de poder vernos, de un momento a otro, separados de nuestras familias, expulsados de nuestros domicilios y privados de nuestros bienes.

Para defendernos de la diferenciación hecha entre súbditos españoles, hemos dirigido a las autoridades de ocupación una solicitud -exposición basada en datos y antecedentes históricos y científicos-, haciendo resaltar que, si bien es cierto que los sefarditas españoles constituían una secta dentro de la confesión mosaica, no lo es menos que somos de origen español, que nuestra lengua sigue siendo española, que nuestros usos y costumbres son españoles, y, en fin, que nuestro aspecto físico lleva señales indelebles de nuestro origen español, que cinco siglos de alejamiento y de sufrimientos no han podido borrar. Esta solicitud, que se encuentra en Berlín, permanece hasta el momento sin respuesta, mientras que otras comunidades análogas tales como la Iraniana y la Georgiana, apoyadas por sus respectivos gobiernos, han obtenido ya satisfacción a sus demandas semejantes a las nuestras.

Estimando que la aplicación de estas leyes a nuestros sefarditas españoles es opuesta a los Tratados internacionales y que, sobre todo, a ningún gobierno compete juzgar de la cualidad de nacionales en el extranjero sin olvidar la soberanía del país a que pertenecen, los Sefarditas españoles nos dirigimos respetuosamente a V.E. como a jefe de la nación Española en SÚPLICA de su alto apoyo y protección para nuestra demanda de que sea respetada nuestra nacionalidad y de que seamos tratados como españoles, mediante la solución pronta y eficaz que juzgue oportuna.

PARÍS, a quince de Febrero de 1943.

Luis Franco y Menasche, Enrique Gateño y Asael E. Canetti y Rosanes, Leon Burla y Yeni, Julio de Toledo

Excmo. Sr. Jefe del Estado Español, Generalísimo Franco. Madrid.

44. Actitud que deben adoptar los Consulados en la zona ocupada (febrero, 1943)[118]

Excmo. Sr.

Muy Sr. mío: Tengo la honra de acusar recibo a V.E. del Oficio n°. 35, de fecha 19 del corriente, en el que se cursan instrucciones sobre la actitud que deberán observar los Consulados en zona ocupada con respecto a los sefarditas.

En lo que se refiere a los domiciliados en esta demarcación consular, que son aproximadamente unos 200, pongo en conocimiento de V.E. que la gran mayoría procede de Grecia o de territorio de países Balcánicos, a donde no cabe la posibilidad de que se dirijan por tratarse de territorios ocupados o en los que existen leyes raciales. Con respecto a Turquía, me permito indicar a V.E. que el Cónsul de este país me dice que por estar limitada la inmigración en general y en especial la entrada de judíos, no podrá conceder visados si así se lo solicitan. Iguales manifestaciones me han hecho los Cónsules de Suiza y Portugal, agregándome este último que considera que no se permitirá la residencia en territorio portugués a los judíos españoles si el Gobierno español tampoco les permite establecerse en España.

El único país americano que continúa con representación consular en Francia es la Argentina, cuyo Consulado tampoco es probable conceda ningún visado de entrada a los judíos españoles, dados los requisitos y limitaciones establecidas en las disposiciones argentinas de inmigración.

Por tanto, puede decirse que los sefarditas están prácticamente inmovilizados, y de tratarse de obtener su salida en grupo, convendría, a

---

[118] Ibídem. 3: Despacho dirigido por el Cónsul General de España en París, Bernardo Rolland, al Ministro de Asuntos Exteriores, Francisco Gómez Jordana, París, 23 de febrero de 1943.

mi juicio, se realizase una negociación con algún país americano que los aceptase. En este caso, como no habría tiempo material para preparar la expedición antes del 1 de Abril próximo, sería de considerar la concesión por las autoridades alemanas de una prórroga del plazo concedido.

También me permito indicar a V.E. que como la exportación de capitales está prohibida en Francia y que tan solo se permite la salida de cada persona con 500 francos, los judíos que obtengan visados tampoco podrán llevar a la práctica su salida de no llegarse a un acuerdo, como el establecido con Italia, que autoriza que los judíos italianos que van a ser repatriados lleven consigo una parte de sus bienes.

A título informativo, señalo a V.E. que los judíos suizos han sido repatriados en varias expediciones, que los italianos lo serán a fines del próximo mes de marzo y que los portugueses, turcos y argentinos esperan instrucciones de sus respectivos gobiernos a sus Consulados en esta capital.

Dios guarde a V.E. muchos años.

El Cónsul General

Bernardo Rolland

45. Situación de los sefardíes españoles a raíz de las nuevas medidas adoptadas (febrero, 1943)[119]

Excmo. Sr:

Muy Sr. mío: Adjunto tengo la honra de remitir a V.E. escrito presentado en este Consulado General por una representación de los sefarditas españoles

---

[119] Ibídem: Despacho dirigido por el Cónsul General de España en París, Bernardo Rolland, al Ministro de Asuntos Exteriores, Francisco Gómez Jordana, París, 23 de febrero de 1943. Con la misma fecha que el anterior Despacho envía otro anunciando un escrito de varios sefardíes.

residentes en Francia, referente a la situación en que se encuentran en razón de las nuevas medidas adoptadas y que respetuosamente dirigen a V.E.

> París, 23 de febrero de 1943
> Dios guarde a V.E. muchos años.
> El Cónsul General
> Bernardo Rolland

46. Carta dirigida por un grupo de sefardíes al Ministro de Estado (febrero, 1943)[120]

Los que suscriben, en representación de los sefarditas españoles residentes en Francia, tienen el honor de someter a la consideración de V.E. la siguiente

EXPOSICIÓN

A demanda de las autoridades alemanas de ocupación de Francia, el Consulado General de España en París acaba de invitar a los sefarditas de nacionalidad española que abandonemos el territorio francés dentro del plazo de un mes, so pena de vernos sometidos a las mismas leyes, de un rigor casi rayano en la exterminación, aplicadas a los judíos, y nos advierte el Consulado que nos proporcionará simplemente el visado de tránsito sin concedernos el derecho de poder instalarnos en España; de suerte que este visado quedaría subordinado a la obtención por anticipado de hospitalidad en un país extranjero.

---

[120] A.M.A.E., R., leg. 1.716, exp. 3: Carta dirigida por un grupo de sefardíes al Ministro de Estado, París, 27 de febrero de 1943. Destacar que aunque en el documento aparece Ministro de Estado, y que lo hemos respetado, durante la dictadura franquista el Ministerio de Estado se transforma en Ministerio de Asuntos Exteriores.

No puede imaginarse V.E. la consternación que la negación de asilo en nuestra Patria ha producido entre estos ciudadanos españoles que estiman derecho a esperar, ante una situación tan trágica, que su Gobierno los ampare y reciba en tierra española. Porque resulta que, si de una parte del Consulado de España invita a sus nacionales, los sefarditas, a alejarse de su residencia, por otra les cierra la única puerta de salida legítima para poder cumplimentar la invitación. Y si España niega asilo a sus nacionales, ¿cómo van estos a solicitar de un país extranjero que se le conceda? Sin duda que toda gestión en tal sentido, sobre colocar en delicada situación a la Nación Española, tendría por descontado el más rotundo fracaso.

No podemos creer que tal cosa pueda ocurrir. Comprenderíamos, aún, que aquella medida fuese aplicada a nosotros, si se tratase de una multitud de millares de emigrados que, por su importancia numérica hiciese abrigar el temor de crear dentro de la nación española un desorden económico; pero el número de sefarditas españoles residentes en París es, aproximadamente, de unos 250, y menor aún el de los que residen en el resto de Francia; no es, por tanto, de temer, por el aspecto numérico, que puedan comprometer el equilibrio económico de un país de veinte millones de habitantes y, bajo otro aspecto, no pretendemos entrar en España como emigrados en el sentido vulgar de la frase, ya que, salvo contadísimas excepciones, todos poseemos los medios económicos suficientes para no constituir una carga para el tesoro español ni para la comunidad.

Debemos hacer resaltar, sin que sea inmodestia, que nosotros, los Sefarditas españoles, somos ciudadanos pacíficos, que jamás nos ocupamos de política, somos comerciantes honestos, nunca hemos creado complicaciones a nuestro Consulado; los expedientes personales de carácter policiaco no ofrecen tacha alguna; hacemos, en fin, honor a la Colonia española, como puede atestiguarlo la Cámara de Comercio de España en París, de la cual somos miembros entusiastas.

Comprenderá V.E. que, en momentos como estos, en que nuestra angustia y nuestro dolor son inmensos, busquemos asilo en nuestro país y abriguemos la esperanza de obtenerlo, que jamás una madre ha negado auxilio a sus hijos en situación difícil; y así confiamos que en esta ocasión también lo encontraremos en nuestra madre España. Y queremos consignar que el asilo que solicitamos, puede V.E. tener la seguridad de que ha de tener un carácter puramente provisional, ya que cada uno de nosotros cuenta con parientes y con relaciones fuera de España, principalmente en América del Sur, donde la inmensa mayoría se dirigiría una vez entrados en España.

No dudamos, Excmo. Sr., que V.E. no permitirá que nosotros, que nuestras mujeres y que nuestros hijos nos veamos, atados de pies y manos, lanzados a una muerte segura. Los momentos son graves, el plazo de un mes es bien corto, y el mínimo retardo puede producir lo irreparable. Nosotros ponemos nuestra suerte en su superior criterio, imploramos su reconocida benevolencia y aguardamos que una orden telegráfica de V.E. a las autoridades consulares de España en París disponiendo se nos faciliten los pasaportes necesarios para poder entrar en España, lleve la tranquilidad a nuestros hogares y realice una obra de justicia.

Dios guarde a V.E. muchos años para prosperidad de España.
PARÍS, a veintisiete de febrero de 1943.
Luis Franco y Menasche, Enrique Gateño y Asael,
León Burla y Yeni, E. Cañete y Rosanes,
Julio de Toledo y Danem

Excmo. Sr. Ministro de Estado. Madrid.

47. El gobierno alemán no autorizará la salida de judíos de nacionalidad española a sus países de origen (marzo, 1943)[121]

Excmo. Sr.

Muy Sr. mío: El Cónsul General de España en París me envió un Oficio del Embajador de España en Berlín, comunicando instrucciones sobre la actitud a observar con los sefarditas de nacionalidad española residentes en Francia, Bélgica y los Países Bajos. Al Oficio acompañaba también un Apunte de la Embajada de Alemania en Madrid al Ministerio de Asuntos Exteriores.

Aun cuando en la zona de mi jurisdicción todavía no se ha presentado el caso aludido, envío copia del Oficio del Sr. Embajador a nuestros cónsules, indicándoles que en situación análoga se atengan a las instrucciones en ella contenidas que, por emanar del Ministerio, hago también mías mientras V.E. no disponga otra cosa.

Adjunto envío a V.E. copia del Oficio y Apunte aludidos.

Dios guarde a V.E. muchos años.
El Embajador de España
José F. de Lequerica.

Excmo. Sr. Ministro de Asuntos Exteriores, Madrid.

Apunte

Con referencia a la conversación que el Ministro Señor Hencke tuvo el honor de celebrar el día 25 de febrero ppdo. con el Director General de

---

[121] A.M.A.E., R., leg. 1.716, exp. 3: Oficio dirigido por el Embajador de España en Vichy, José Félix de Lequerica, al Ministro de Asuntos Exteriores, Francisco Gómez Jordana, Vichy, 6 de marzo de 1943.

Política del Ministerio de Asuntos Exteriores, Señor Doussinague, y en adición a sus anteriores apuntes y conferencias verbales, relativas a la salida de los territorios de soberanía alemana de súbditos españoles de raza judía, la Embajada de Alemania tiene el honor de comunicar al Ministerio de Asuntos Exteriores lo que sigue:

Conforme a una instrucción recibida por la Embajada de Alemania del Ministerio de Asuntos Exteriores de Berlín, el gobierno alemán, bien a su pesar, no ve ninguna posibilidad de autorizar la salida de los judíos de nacionalidad española, residentes en los territorios de soberanía alemana, con destino a sus países de origen o a Portugal y los Estados Unidos, respectivamente.

Madrid, 6 de marzo de 1943.

48. El Embajador de España en Washington solicita al gobierno español que interceda ante Alemania para la salida de niños judíos de los países ocupados (marzo, 1943)[122]

Mi querido amigo y compañero:

Adjunto le remito copia traducida de una carta que acabo de recibir procedente del Rabino Maurice Perlzweig.

Como verá por su contenido, se trata de dos asuntos distintos: uno, el envío de paquetes de alimentos con destino a los refugiados judíos en

---

[122] Ibídem: Despacho dirigido por el Embajador de España en Washington, Juan F. de Cárdenas, al Subsecretario de Asuntos Exteriores, José Pan de Soraluce, Washington, 9 de marzo de 1943.

España y, relacionado con ello, la posibilidad de enviar un Delegado de las organizaciones judías en este país para ponerse de acuerdo con nuestro Gobierno y solicitar la ayuda de España para obtener que Alemania permita salir de los territorios ocupados a los niños judíos, que varias naciones como la Argentina, Suiza, Inglaterra y los Estados Unidos están dispuestos a recibir.

En las visitas que me ha hecho el Rabino Perlzweig, le he escuchado con gran interés por parecerme que sería de muy buen efecto el que le ayudásemos en este asunto, que además de ser una buena propaganda para España en nada cambiaría nuestra política con relación a los judíos, no gravándola tampoco en manera alguna, por no tratarse de que dichos niños se queden en España sino facilitarles su paso a otros países.

Le agradeceré por lo tanto, mi querido Pan, el que estudie este asunto con el interés que creo merece, ya que consta que el mero hecho de haber recibido y escuchado al Rabino Perlzweig, ha bastado para producir una reacción muy favorable a España en los centros importantes judíos.

Sin otro particular, me reitero como siempre suyo afmo. y viejo amigo y compañero.

Juan F. de Cárdenas
Embajador de España

Excmo. Sr. Don José Pan de Soraluce
Subsecretario de Asuntos Exteriores
Ministerio de Asuntos Exteriores. Madrid.

49. Los judíos españoles de Francia, Bélgica y Holanda tienen que abandonar el país antes de finales de marzo (marzo, 1943)[123]

Excmo. Sr.

Muy Sr. mío: Con referencia a mis Despachos n°. 95 de 11 de Febrero y 141 de 26 del mismo mes, sobre la salida de los judíos españoles de Francia, Bélgica y Holanda, tengo la honra de pasar a manos de V.E. las fichas que se refieren a los que dependen de los Consulados de la nación en Bruselas y Estrasburgo.

No tengo los datos del Consulado General en París, donde radica la parte más importante de nuestra colonia judía -unas doscientas personas- pero supongo se los habrá enviado directamente dicho Consulado.

Me permito recordar a V.E. que los israelitas objeto de la medida de salida de los territorios indicados deben haberlos abandonado antes de final de este mes y que convendría, por tanto, tuviera V.E. a bien darme telegráficamente y con la urgencia que requiere el caso, sus superiores instrucciones sobre las consultas que en mis Despachos n°. 95 y 141 tenía la honra de hacerle.

Dios guarde a V.E. muchos años.
El Embajador de España
Ginés Vidal

Sr. Ministro de Asuntos Exteriores. Madrid.

---

[123] Ibídem: Despacho dirigido por el Embajador de España en Berlín, Ginés Vidal, al Ministro de Asuntos Exteriores, Francisco Gómez Jordana, Berlín, 12 de marzo de 1943.

50. Solo se concederán visados de entrada en España a los sefardíes que acrediten la nacionalidad española (marzo, 1943)[124]

> Telegrama n°. 119.
> Del Ministro de Asuntos Exteriores al Embajador
> de España en París
> Madrid, 18 de marzo de 1943

Puede concederse visado entrada España sefarditas españoles que acrediten, con documentación completa enteramente satisfactoria, nacionalidad (no carácter protegido) suya y de cada uno de los familiares que deban acompañarle, demostrando haber cumplido requisito inscripción registro nacionalidad y registro matrimonio, cuando deba acompañarle esposa y nacimiento hijos si éstos deben acompañarle. Para cada caso sírvase V.E. telegrafiar nombre completo y documentos presentados para acreditar condiciones dichas, así como frontera y día de entrada en España con tres fechas margen por dificultad comunicaciones. Se urge a Embajador Berlín insista obtener autoridades alemanas que bienes inmuebles dichos sefarditas permanezcan administrados por Representantes Consulados españoles, debiendo gestionarse también de esas Autoridades que plazo concedido para salida, que debe expirar fin de mes, se amplíe hasta fin abril o por lo menos tres semanas más.

Advierta solicitantes visado que Autoridades españolas les fijarán ciudad residencia, que no podrán abandonar sin autorización. Visado dirá:

---

[124] Ibídem: Telegrama dirigido por el Ministro de Asuntos Exteriores, Francisco Gómez Jordana, al Embajador de España en Vichy, José Félix de Lequerica, Madrid, 18 de marzo de 1943. Cabe señalar que si bien el telegrama va dirigido al Embajador en París, la Embajada estaba en Vichy. Se sabe que Lequerica fue nombrado Embajador de España en París en marzo de 1939, pero, tras el Armisticio en julio de 1940, Franco lo nombró Embajador en Vichy.

"Bueno para entrar en España por una sola vez por tal frontera, de tal a tal fecha".

JORDANA

51. El Consulado General de España en Francia interviene ante la Embajada alemana en favor de un protegido español (abril, 1943)[125]

Le Consulat General d'Espagne en France présente ses salutations les plus empressées à l'Ambassade d'Allemagne à Paris et a l'honneur de porter à sa connaissance que U. Alberto Mergui, domicilié à Biarritz, 11 rue Etienne Ardouin, israélite chrétien du Tanger, protégé espagnol, s'est adressé à ce Consulat Général, pour signaler que sur l'ordre de la Sous Préfecture de Bayonne, sa maison, située à l'adresse précitée doit être mise en vente, par voie d'affiche.

Etant donné que l'intéressé, protégé espagnol a sollicité l'assistance de ce Consulat Général pour faire annuler la mise en vente de la maison lui appartenant, cette Chancellerie serait très reconnaissante à l'Ambassade d'Allemagne de vouloir bien intervenir afin que cette mise en vente soit annulée.

Ce Consulat Général remercie par avance l'Ambassade d'Allemagne de la suite favorable qu'elle voudra bien donner à sa demande.

Paris, le 2 Avril 1943

Ambassade d'Allemagne, Paris.

---

[125] A.M.A.E., R., leg. 1.716, exp. 3: Despacho dirigido por el Consulado General de España en París a la Embajada de Alemania en París, París, 2 de abril de 1943.

52. El Cónsul Encargado, Diego Bulgas, comunica a la Embajada en Berlín el envío de las normas sobre la concesión de visados de entrada en España (abril 1943)[126]

Excmo. Sr.

Muy Sr. mío: Tengo la honra de pasar a manos de V.E., para su debido conocimiento e información, copia del Oficio nº. 28 que con esa fecha este Consulado General dirige a la Embajada de España en Berlín, sobre las normas seguidas por este Consulado con respecto a la concesión de visados de entrada en España de los sefarditas.

Dios guarde a V.E. muchos años.
El Cónsul Encargado a.i. del Consulado General
Diego Bulgas de Dalmau

53. Normas seguidas por el Consulado para la concesión de visados que permitan entrar en España (abril, 1943)[127]

Excmo. Sr.

Muy Sr. mío: Con referencia al Oficio nº. 23 de este Consulado, dando cuenta de haberse concedido varios visados de entrada a sefarditas españoles

---

[126] Ibídem: Despacho dirigido por el Cónsul encargado interinamente del Consulado General de España en París, Diego Bulgas de Dalmau, al Ministro de Asuntos Exteriores, Francisco Gómez Jordana, París, 29 de abril de 1943.
[127] Ibídem: Despacho dirigido por el Cónsul encargado interinamente del Consulado General de España en París, Diego Bulgas de Dalmau, al Embajador de España en Berlín, Ginés Vidal, París, 29 de abril de 1943.

y a los números 24 y 25 a los que acompañan pasaportes de los sefarditas que se mencionaban para la obtención por parte de las Autoridades competentes alemanas de los correspondientes salvoconductos para la salida de la zona ocupada de Francia, tengo la honra de poner en conocimiento de V.E. que todos ellos son personas que han demostrado documentalmente tener una Real Orden establecida a su favor, concediéndoles la nacionalidad española, y haber realizado su inscripción en el libro cuarto del Registro Civil, Sección Ciudadanía, por ser éstas las únicas personas que según las consultas hechas al Ministerio de Asuntos Exteriores y de acuerdo con las instrucciones contenidas en las circulares números 76, 83 y 85 de V.E. se entiende quedan comprendidos en el beneficio de establecerse en España.

Las personas que reúnen las condiciones anteriores no pasan, aproximadamente, en esta capital de un centenar, entre la colonia de 250 sefarditas, más o menos existentes en la actualidad -ya que el grueso de la colectividad judía española se trasladó a la denominada zona no ocupada de Francia-. Por esta razón, para establecer a quiénes podía concedérseles los visados de entrada ha sido necesario realizar un minucioso examen de cada caso para conocer quiénes son aquellos que reunían las condiciones exigidas, pues todos ellos, tanto súbditos españoles como protegidos, son titulares indistintamente de certificados de nacionalidad y pasaportes españoles, sin que en los mismos aparezcan diferenciación alguna, documentos, cuya posesión, en el caso de los sefarditas, no resulta prueba bastante de haber adquirido en firme la nacionalidad española.

A título informativo participo a V.E. que del estudio de cada expediente han podido establecerse las siguientes categorías de sefarditas provistos de documentación española:

1ª. Los que obtuvieron una Real Orden concediéndoseles la nacionalidad española y rellenaron su inscripción en el libro cuarto del Registro Civil, de Ciudadanía, de acuerdo con lo preceptuado en los artículos

96 y 101 de la Ley de Registro Civil y como también se establece en el R.D. de 24 de diciembre de 1924, en virtud del cual se concedía la nacionalidad española en un plazo que expiraría el 31 de diciembre de 1930. A las personas comprendidas en la categoría anterior han sido a las únicas que se les ha concedido visados de entrada, que se han hecho extensivos a sus esposas e hijos siempre y cuando los matrimonios y los nacimientos conste se hubiesen inscrito en los correspondientes registros, de acuerdo con lo establecido en las mencionadas circulares de V.E.

2ª. Los sefarditas que si bien se acogieron al citado decreto de 1924, por omisión de inadvertencia, no consolidaron su situación, a pesar de estar en posesión de copia o certificado de la R.O., concediéndoles la nacionalidad española, no habiendo realizado su inscripción en el libro de Ciudadanía. Los anteriores no quedan comprendidos en el beneficio de establecerse en España, según ha manifestado el Ministro de Asuntos Exteriores a este Consulado, en telegrama del 5 del corriente, nº. 943, contestando a los despachos números 244 y 245 consultando los casos particulares de los señores Benveniste y Carasso, en el citado telegrama se sienta un principio general al decir: No procede autorizar entrada señores Benveniste y Carasso, objetos despachos 244 y 245, manteniéndose criterio telegrama 119 a Embajador. *No procediendo formular consultas casos análogos.*

3ª. Antiguos protegidos que hicieron una instancia a su debido tiempo, mostrando sus deseos de acogerse al Decreto de 1924, pero que no recibieron contestación alguna y no obtuvieron R.O. concediéndoles la nacionalidad española. El caso de éstos fue consultado por este Consulado General en despacho nº. 226, consultando el caso concreto del Señor Sadacca, y por Orden nº. 285, de fecha 10 del corriente el Ministerio comunica lo siguiente: *No habiéndose acogido el Señor Sadacca a la disposición de 20 de octubre de 1927, cuyo plazo terminaba el 31 de diciembre de 1930, no puede considerarse como de nacionalidad española, cuyo criterio podrá aplicar V.E. con carácter general a cuantos casos análogos se presenten en el Consulado de su digno cargo, con excepción de los protegidos cuyos nombres figuran en las listas establecidas de común acuerdo con el Gobierno Egipcio, por el acuerdo firmado en Alejandría el 25 de agosto de 1934.* Procedentes de Egipto en este Consulado General no se han presentado más que uno o dos casos, que se someten a consulta al Ministerio para conocer si están o no incluidos en las listas de dicho acuerdo.

4ª. Antiguos protegidos que no se acogieron al Decreto de 1924. Por analogía, los comprendidos en este grupo tampoco pueden obtener el visado de entrada, según se desprende de lo manifestado por el Ministerio con respecto a los individuos de las categorías segunda y tercera y según se establece en la Circular nº. 83 de V.E.

En Oficio nº. 18, de fecha 31 de marzo pasado, se indicaba a V.E. que quedarían aproximadamente unos 90 sefarditas sin reunir los requisitos exigidos para obtener el visado de entrada en España, consultando sobre su situación. Actualmente se han presentado en este Consulado nuevas personas que están en condiciones igual. Habrá unos 120, pero en la zona no ocupada parece existen bastantes, especialmente en Marsella y Lyon, que son individuos procedentes de la colonia sefardita de París.

Como por el mencionado telegrama nº. 943, del 5 del corriente, y Orden nº. 285, del 10 del corriente, del Ministerio de Asuntos Exteriores, parece definida la situación de todos aquellos sefarditas no comprendidos en la categoría primera, me permito señalar a V.E. la conveniencia de que se cursen instrucciones a este Consulado General sobre la actitud que deberá observar en lo sucesivo con respecto a todos aquellos sefarditas que queden en esta demarcación consular, una vez repatriados los que reúnan las condiciones exigidas, tanto en lo que se refiere a su situación jurídica como a las medidas que es de prever adopten las Autoridades alemanas.

Dios guarde a V.E. muchos años.

El Cónsul Encargado a.i. del Consulado General

Diego Bulgas de Dalmau

Excmo. Sr. Embajador de España en Berlín.

54. Sefardíes españoles que se van a repatriar (mayo, 1943)[128]

Excmo. Sr.

Muy Sr. mío: Con referencia al telegrama de V.E. nº. 273, de fecha de hoy, tengo la honra de poner en su conocimiento que por telegrama nº. 301 de 5 del corriente, cursé a V.E. la lista de los israelitas españoles que, residentes en Bélgica, tenían ya el visado de entrada en España, indicando la fecha aproximada del paso de la frontera por los mismos.

Respecto a los israelitas residentes en Alemania o en territorios ocupados dependientes de un Consulado de Alemania, como es el caso de Holanda, que a estos efectos depende del Consulado General de Hamburgo, se ha pedido por Nota verbal al Ministerio de Negocios Extranjeros del Reich sea concedido el permiso de salida de Alemania a las personas mencionadas en la relación adjunta. El Ministerio aún no ha contestado anunciando la concesión de los visados solicitados, por lo que no he podido hasta ahora telegrafiar a V.E. las fechas de entrada en España de los mencionados israelitas residentes en Alemania y Holanda, lo que haré en cuanto tenga conocimiento de ello.

En cuanto a los sefarditas residentes en Francia, que constituyen el grupo de mayor importancia de los que desean repatriarse, y residentes en los territorios ocupados del oeste, se ha acordado, para evitar pérdida de tiempo,

---

[128] Ibídem: Despacho dirigido por el Embajador de España en Berlín, Ginés Vidal, al Ministro de Asuntos Exteriores, Francisco Gómez Jordana, Berlín, 7 de mayo de 1943.

pues el visado les es concedido por la Embajada de Alemania en París, que los respectivos Consulados telegrafíen directamente a V.E. las fechas del paso de frontera, independientemente de que también lo comuniquen a esta Embajada que a su vez dará traslado de ello a V.E.

Por mis Despachos 291 y 292, de 27 de Abril, y 293, de 28 del mismo mes, remití a V.E. una relación de 6 israelitas españoles cuyos pasaportes tenían ya el visado para entrada en España, según comunicó a V.E. directamente el Consulado General en París, y otras dos relaciones de 24 y 46 israelitas cuyos visados se solicitaban y que están pendientes de contestación del Ministerio de Negocios Extranjeros.

Adjunto remito a V.E. una nueva relación de 5 israelitas residentes en Francia, cuyo visado de salida ha sido pedido por esta Embajada, y que está también pendiente de contestación.

Lo que comunico a V.E. para su conocimiento y efectos oportunos.

Dios guarde a V.E. muchos años.
El Embajador de España
Ginés Vidal

Excmo. Sr. Ministro de Asuntos Exteriores. Madrid.

55. Administración de bienes de los israelitas españoles (junio, 1943)[129]

Excmo. Sr.

Muy Sr. mío: Tengo la honra de poner en conocimiento de V.E. que, como consecuencia del acuerdo intervenido entre la Embajada de la Nación en París y las autoridades de ocupación, en el mes de Abril de 1941, con referencia al nombramiento de Comisarios para la administración de los bienes, residentes en esta demarcación, propiedad de judíos de nuestra nacionalidad, objeto de telegramas de la Embajada a ese Ministerio de Asuntos Exteriores, en fechas 28 de Marzo y 3 de Abril, este Consulado General, a propuesta y garantía de la Cámara oficial de Comercio de España en esta capital, solicitó de las Autoridades de ocupación el nombramiento de 10 Administradores españoles para Comisarios para regentar aproximadamente unos cien asuntos comerciales israelitas.

Dichos Comisarios han venido ejerciendo hasta la fecha sus funciones de administración, sin proceder, en la inmensa mayoría de los casos, a la liquidación o arianización de las empresas judías a su cargo, como en términos generales y de principio preconizaban las Autoridades alemanas.

La actitud de este Consulado General con referencia a lo anteriormente expuesto ha sido y es de acuerdo con las normas seguidas por los administradores, con objeto de evitar que perdiesen los intereses en cuestión la condición de españoles, ya que se trata de bienes que forman parte del acervo nacional.

---

[129] Ibídem: Despacho dirigido por el Cónsul General de España en París, Alfonso Fiscovich, al Ministro de Asuntos Exteriores, Francisco Gómez Jordana, París, 1 de junio de 1943.

Se cree este Consulado General en el deber de prevenir a V.E. que pudiera suceder que las Autoridades alemanas, con motivo de la próxima repatriación de los españoles de extracción israelita, acuerden una revisión general de la administración de sus bienes en Francia, regentados por los Comisarios españoles y si esto sucediera, aun cuando por el momento no existe indicio ni indicación alguna, no dejarían de adoptar medidas encaminadas a la liquidación en todo o en parte de dichos bienes, con el consiguiente perjuicio para los propietarios y así mismo para la defensa de los intereses económicos españoles.

Dios guarde a V.E. muchos años.
El Cónsul General
Alfonso Fiscovich

Excmo. Sr. Ministro de Asuntos Exteriores. Madrid.

56. El Embajador Vidal solicita instrucciones al gobierno español en relación a los bienes de los sefardíes que no puedan salir de Francia por carecer de visados (julio, 1943)[130]

Excmo. Sr.

Muy Sr. mío: El Cónsul General de la Nación en Atenas[131], en Oficio n°. 15 de 25 de Junio, cuya copia adjunto a V.E., solicita mi intervención en favor de algunos sefarditas españoles que han sido ya deportados de Salónica por las Autoridades alemanas.

---

[130] Ibídem: Despacho dirigido por el Embajador de España en Berlín, Ginés Vidal, al Ministro de Asuntos Exteriores, Francisco Gómez Jordana, Berlín, 9 de julio de 1943.
[131] El Cónsul General de España en Atenas era Sebastián de Romero Radigales. En 2014, como ya se ha dicho, fue nombrado por el Yad Vashem de Jerusalem "Justo entre las Naciones".

Recibo también de nuestro Cónsul General en París el adjunto Oficio nº. 42 de 30 de Junio, en el que ruega le dé instrucciones sobre la actitud que debe adoptar en relación con la persona y los bienes de los sefarditas españoles o protegidos que no reúnen las condiciones para obtener el visado de entrada en España y que han de quedar, por tanto, en territorio ocupado.

Como ya comuniqué a V.E., las Autoridades alemanas pretenden aplicarles pura y simplemente el régimen ordinario de los judíos, una vez cumplido el plazo concedido para su salida. Este régimen, que no tiene en cuenta la nacionalidad que puede invocar, lleva consigo entre otras medidas la deportación y la confiscación de sus bienes en provecho del Reich, por lo que ruego tenga V.E. a bien darme sus instrucciones sobre los límites en que he de desarrollar mi intervención.

Dios guarde a V.E. muchos años.
El Embajador de España
Ginés Vidal

Excmo. Sr. Ministro de Asuntos Exteriores. Madrid.

57. Franco no autoriza la instalación de judíos en España, solo el tránsito (diciembre, 1943)[132]

Mi querido General y amigo:

Vuelvo a tratar del asunto de los sefarditas que están en edad militar. Como sabe Ud., la primera expedición de setenta y tres sefarditas procedentes

---

[132] A.M.A.E., R., leg. 1.716, exp. 3: De un Oficio dirigido por el Ministro de Asuntos Exteriores, Francisco Gómez Jordana, al Ministro del Ejército, Carlos Asensio, Madrid, 28 de diciembre de 1943. Cfr. en AVNI, H.: *España, Franco y los judíos...*, p. 216.

de París salió por Málaga, salvo cuatro o cinco que se quedaron aquí con sus familias formando un total de veinte y cinco, por estar alguno de los miembros en edad militar[133]. Ahora bien, el problema no se concreta en éstos sólo sino que tiene un carácter general, que ésta era tan solo una primera expedición de todo un sistema montado para resolver un grave conflicto político.

Consiste éste en que son muchos cientos los sefardíes con nacionalidad española que están en Europa, sea en campos de concentración sea a punto de ir a ellos y nosotros no los podemos traer a España a instalarse en nuestro país porque esto no nos conviene de ninguna manera ni el Caudillo lo autoriza ni lo podemos dejar en su situación actual aparentando ignorar su condición de ciudadanos españoles porque esto puede dar lugar a graves campañas de prensa en el extranjero y principalmente en América y provocarnos serias dificultades de orden internacional.

En vista de lo cual se pensó en irlos trayendo por grupos de un centenar, poco más o menos, y cuando un grupo hubiera salido ya de España, pasando por nuestro país como la luz por el cristal, sin dejar rastro, traer un segundo grupo, hacerlo salir para dar entrada a los sucesivos, etc. Siendo éste el mecanismo, claro es que la base del mismo estaba en que nosotros no permitiéramos de ninguna manera que los sefarditas quedaran en España y por lo tanto no contábamos con que se había de buscar razones para detenerlos aquí, puesto que ello implica anular la solución propuesta y dejarnos con todo el problema pendiente y sin salida posible…

---

[133] Véase Apéndice Documental, reproducción facsimilar, pp. 225-226.

V. BIBLIOGRAFÍA

AMIPAZ-SILBER, G.: *Sephardi Jews in Occupied France. Under The Tyrant's Heel 1940-1944*. Rubin Mass Ltd, Jerusalem, 1995.

AVILÉS, J.: "Lequerica, embajador franquista en París: un testigo de excepción de la derrota de Francia", *Historia 16,* n°. 160, 1989, pp. 12-20.

AVILÉS, J.: "Vichy y Madrid. Las relaciones hispano-francesas de juniode 1940 a noviembre 1942". *Espacio, Tiempo y Forma*, serie V, Historia Contemporánea, n°. 2, 1989, pp. 227-239.

AVILÉS, J.: "Un país enemigo: Franco frente a Francia, 1939-1944". *Espacio, Tiempo y Forma,* serie V, Historia Contemporánea, n°. 7, 1994, pp. 109-134.

AVNI, H.: "La salvación de judíos por España durante la Segunda Guerra Mundial", en HASSAN, J.M. (1970), *Actas del I Simposio de Estudios sefardíes,* Madrid, 1964, pp. 81-89.

AVNI, H.: "Franco pudo hacer más", *Historia 16,* n°. 26, junio, 1978, pp. 26-32.

AVNI, H.: *España, Franco y los judíos*, Altalena, Madrid, 1982.

AVNI, H.: *Spain, the Jews and Franco,* Filadelfia, 1982.

BAER, A.: "Diplomáticos españoles ante la Shoá: la memoria del bien". En Jacobo Israel Garzón y Alejandro Baer (eds.), *España y el Holocausto (1939-1945). Historia y testimonios.* Federación de Comunidades Judías de España (FCJE)/Hebraica Ediciones, Madrid, 2007, pp. 39-59.

BAHUER, Y.: *American Jewry and the Holocaust: The American Jewish Joint Distribution Committee, 1939-1945.* Detroit, 1981.

CALEF, N.: "Drancy 1941. Camp de représailles, Drancy la faim". Édité et présenté par Serge Klarsfeld pour le 50e. anniversaire du camp de Drancy, en *Le Monde Juif. La Revue du Centre de Documentation Juive Contemporaine,* n°. 143 (Nouvelle série), Paris, 1991, pp. 133-502 (paginación separada en el texto: V-XX, 1-354). Cfr. en ROTHER, B.: *Franco y el Holocausto,* traducción de Leticia Artiles Gracia, revisión de Gonzalo Álvarez Chillida, Marcial Pons, Madrid, 2005.

CALVET, J.: *Las montañas de la libertad. El paso de refugiados por los Pirineos durante la Segunda Guerra Mundial 1939-1944*. Alianza Editorial, Madrid, 2010.

CALVET, J.: *Huyendo del Holocausto.* Milenio, Lérida, 2014.

CASTILLO, F.: *Noche y niebla en el París ocupado. Traficantes, espías y mercado negro.* Fórcola, Madrid, 2007.

CATALA, M.: *Les relations franco-espagnoles pendant la Deuxième Guerre Mondiale.* L'Harmattan, Paris, 1997.

CAVA, Mª. J.: *Los Diplomáticos de Franco. J. F. de Lequerica. Temple y Tenacidad (1890-1963).* Universidad de Deusto, Bilbao, 1989.

CAVA, Mª. J.: "José Félix de Lequerica, embajador en Francia (1939-1944). El gesto retórico", en *Propagandistas y diplomáticos al servicio de Franco (1936-1945).* (coord.) Antonio César Moreno, Cantano, 2012, pp. 81-120.

DÍAZ-MAS, P.: *Los sefardíes. Historia, lengua y cultura,* Riopiedras, Barcelona, 1997.

EGIDO, A.: "Franco y la Segunda Guerra Mundial. Una neutralidad comprometida". *Ayer*, nº. 57, 2005, pp. 103-124.

EIROA. M.: *Las relaciones de Franco con Europa Centro-Oriental (1939-1945)*, Ariel, Barcelona, 2001.

ESPADA, A.: *En nombre de Franco. Los héroes de la embajada de España en el Budapest nazi*, Espasa, Barcelona, 2013.

ESPADAS, M.: "Un debate abierto: Pío XII y los judíos". *La Aventura de la Historia,* nº. 45, Madrid, julio 2002.

FREDJ, J. et SERGE KLARSFELD: *Drancy: Un camp d'internement aux portes de Paris*, Privat, Paris, 2015.

GÓMEZ-JORDANA, F.: *Milicia y diplomacia: diarios del conde de Jordana, 1936-1944,* Dossoles, 2002.

GONZÁLEZ, I.: "El regreso de los sefarditas", en H. Méchoulan (ed.), *Los judíos de España,* Barcelona, 1992, pp. 83-87.

GONZÁLEZ, I.: *Los judíos y la Segunda República (1931-1939),* Alianza Editorial, Madrid, 2004.

HILBERG, R.: *La destrucción de los judíos europeos,* Akal, 2005.

HÖSS, R.: *Yo, comandante de Auschwitz,* Ediciones B, 2009.

INÉS, G.: *España y los judíos en el siglo XX. La acción exterior*, Madrid, 1987.

ISRAEL, J.: "España y los judíos 1939-1945. Una visión general". En Jacobo Israel Garzón y Alejandro Baer (eds.), *España y el Holocausto (1939-1945). Historia y testimonios.* Federación de Comunidades Judías de España (FCJE)/ Hebraica Ediciones, Madrid, 2007, pp. 15-37.

KEDURIE, E. (ed.): *Los judíos de España. La diáspora sefardí desde 1492,* traducción de Mireia Carol, Crítica, Barcelona, 1992.

KLARSFELD, S.: *Livre Mémorial de la deportation des Juifs de France. Association des Fils et Filles des Déportés Juifs de France*, Paris, 1978.

KLARSFELD, S.: *Vichy, Auschwitz,* Fayard, Paris, 2001.

KLARSFELD, S.: "La Shoah en France: Le calendrier de la persécution des Juifs de France, juillet 1940-août 1942", vol. 2. Fayard, Paris, 2001.

KLARSFELD, S.: "La Shoah en France: Le calendrier de la persécution des Juifs de France, septembre 1942-août 1944", vol. 3. Fayard: Paris, 2001.

KLARSFELD, S.: *Adieu les anfants (1942-1944),* Mille et une nuits, Paris, 2005.

KLARSFELD, S. et ANNE VIDALINE: *La traque des criminels nazis*, Tallandier, Paris, 2013.

KLARSFELD, S. et MICHEL GOLDBERG: *L'antisemitisme en toute liberté*, Le bord de l'eau, Paris, 2014.

LAFFITTE, M.: *Juif dans la France allemande,* Tallandier, Paris, 2006.

LISBONA, J.A. *Más allá del deber. La respuesta humanitaria del Servicio Exterior frente al Holocuasto,* Ministerio de Asuntos Exteriores y de Cooperación, Madrid, 2015.

LOZANO, A.: *El Holocausto y la cultura de masas,* Melusina, 2010.

MARQUINA, A.: "La acción exterior de España y los judíos de los Balcanes", en *Encuentros en Sefarad. Actas del Congreso Internacional "Los judíos en la Historia de España",* presentación Manuel Espadas Burgos, Ciudad Real, 1987, pp. 417-440.

MARQUINA, A. y GLORIA I. OSPINA.: *España y los judíos en el siglo XX,* Espasa-Universidad, Madrid, 1987.

MARQUINA, A.: "La Etapa de Ramón Serrano Suñer en el Ministerio de Asuntos Exteriores". *Espacio, Tiempo y Forma,* serie V, Historia Contemporánea, nº. 2, Madrid, 1989, pp. 145-167.

MARQUINA, A.: "La España de Franco y los judíos". En Uriel Macías Kapón, Yolanda Moreno Koch y Ricardo Izquierdo Benito (coords.), *Los judíos en la España contemporánea: historia y visiones, 1898-1998.* Universidad de Castilla-La Mancha, Cuenca, 2000, pp. 191-200.

MARTÍN DE POZUELO, E.: *El franquismo, cómplice del Holocausto*, La Vanguardia, 2012.

MÉCHOULAN, H.: "L'Espagne, pays refuges", en *YOD. Revue des études hebraiques et juives modernes et contemporaines* 19, pp. 129 y ss.

MIRA, M.: *El Olivo que no ardió en Salónica. El Imperio Danone,* La esfera de los libros, Madrid, 2015.

MOLHO, M.: *In Memoriam gewidmett dem Andenken an die jüdischen Opfer der Naziherrschaft in Griecheland,* Alemania, 1981, pp. 196 y ss.

MORCILLO, M.: "La comunidad sefardita de Salónica después de las guerras balcánicas (1912-1913)". *Sefarad,* año 52, fasc. 2. Consejo Superior de Investigaciones Científicas, Madrid, 1997, pp. 307-331.

MORCILLO, M. : "Essai sur la communauté séfardie de Salonique pendant le premier tiers du XXe. siècle". *The Jewish Communities of South-Eastern Europe. From the fifteenth century to the end of World War II.* Tessaloniki (Grecia), Institute for Balkans Studies, 1997, pp. 351-364.

MORCILLO, M.: *S.R. Radigales y los sefardíes de Grecia (1943-1946).* Casa Sefarad-Israel/Instituto Cervantes de Atenas, Universidad de Castilla-La Mancha, Metáfora, Madrid, 2008.

MORCILLO, M.: "La comunidad sefardita de Salónica. Cuestión del reconocimiento de la nacionalidad española: desde la Primera a la Segunda Guerra Mundial", *Sefárdica,* Centro de Investigación y Difusión de la Cultura Sefardí, Buenos Aires (Argentina), 2008, pp. 46-58.

MORCILLO, M.: Política cultural de España en los Balcanes: inventarios de los intereses de España en las comunidades sefardíes de Grecia (1931-1936)". *Miscelánea de Estudios árabes y hebreos. Sección hebreo,* nº. 63, Universidad de Granada, Granada, 2014, pp. 179-222.

MORCILLO, M.: "La diplomacia española en las comunidades sefardíes de Grecia durante el primer tercio del siglo XX". *Cuadernos Judaicos,* nº. 31, Universidad de Chile, Santiago de Chile, 2014, pp. 116-141.

MORCILLO, M.: "La ley del descanso dominical en Salónica: impacto en la comunidad judía a través de la prensa francófona (1924-1925)", *Byzantion Nea Hellas,* nº. 33. Centro de Estudios Griegos, Bizantinos y Neohelénicos "Fotios Malleros", de la Facultad de Filosofía y Humanidades de la Universidad de Chile, Santiago de Chile, 2014, pp. 263-278.

MORCILLO, M.: "Bernardo Rolland y de Miota y los sefardíes de París (1939-1943)". *Diccionario Biográfico Español.* Real Academia de la Historia, Madrid. En prensa.

PALDIEL, M.: *Diplomat Heroes of the Holocaust*. KTAV, Jersey City, 2007.

PAYNE, G.: *Franco y Hitler. España, Alemania, La Segunda Guerra Mundial y el Holocausto.* La Esfera de los Libros: Madrid, 2008.

REIN, R.: *Franco, Israel y los judíos,* C.S.I.C.: Madrid, 1996.

RENGEL, C. "Judíos y españoles: el rostro menos conocido del Holocausto". En línea: http://www.huffingtonpost.es/2016/01/30/espanoles-muertos-holocausto_n_9051386.html. Consultado el 31 de enero de 2016.

ROLLAND, B.: *Luciano Bonaparte, Embajador.* Ministerio de Asuntos Exteriores, Escuela Diplomática, Madrid, 1951.

ROLLAND, B.: "El Marqués de Villars, Embajador del rey cristianísimo cerca del rey católico Carlos II". Conferencia pronunciada el 1 de febrero de 1945. Escuela Diplomática, 1945, Ministerio de Asuntos Exteriores, Madrid, pp. 229-261.

ROTHER, B.: *Franco y el Holocausto,* traducción de Leticia Artiles Gracia, revisión de Gonzalo Álvarez Chillida, Marcial Pons, Madrid, 2005.

SALINAS, D.: *España, los sefardíes y el Tercer Reich (1939-1945). La labor de los diplomáticos españoles contra el genocidio nazi.* Universidad de Valladolid-Ministerio de Asuntos Exteriores, Valladolid, 1997.

TOLEDO, A. de: "C'est un Juste", *Sepharadinfo, Aki Estamos*, Paris, 2010.

ZUCCOTTI, S.: *The Holocaust, the French, and the Jews,* University of Nebraska Press, Nueva York, 1993.

VI. APÉNDICE DOCUMENTAL

6.1. Entrevista

Guillermo Rolland de Lavilleón, hijo del Cónsul General Bernardo Rolland de Miota[134].

Guillermo Rolland, hijo del Cónsul español en París durante la Segunda Guerra Mundial y residente en el pueblo cántabro de Selores, asistirá al homenaje a su padre el fin de semana en París. El sábado hay un acto religioso en la Sinagoga sefardí. El domingo, con el cónsul, embajadores y asociaciones judías. Y desde el lunes, en el consulado, una placa honrará su memoria. Escuchó a su conciencia, a su honor, y los opuso frente a leyes indignas. Hizo tanto bien a judíos y a sefardíes, a muchos de ellos los libró de los asesinos nazis, que actuó clandestinamente.

-Dice un antiguo proverbio judío que quien salva una vida salva a la Humanidad. Su padre, Bernardo Rolland, salvó muchas vidas judías de la maquinaria genocida nazi y luchó por proteger a los judeo-españoles en el París de principios de los años 40.

-Mi padre cumplía su deber de proteger a los sefardíes apuntados en el Consulado. En tiempo de Alfonso XIII se publicó un decreto para ofrecer a los sefardíes la nacionalidad española. Unos cuantos cientos se apuntaron, y cuando vinieron maldadas era obligación del cónsul proteger a los súbditos.

---

[134] http://www.eldiariomontanes.es/20081127/sociedad/protagonistas/paris-honra-bernardo-rolland-20081127.html. Antonio Astorga. Consultado el 10-1-2015.

-Aunque esa protección también suponía riesgo y molestias. Su padre se la jugó.

-El mérito de mi padre es que él fue más allá de ese deber y protegió a todos los sefardíes que acudían, incluso a los que no tenían papeles o pasaporte.

-Hombres de bien como su padre son espejos en el camino.

-Extraoficialmente se metían judíos en los convoyes de españoles normales, digamos, que se repatriaban a España. Los alemanes estaban muy enfadados con él y, claro, como Alemania y España tenían buenas relaciones, los germanos no quisieron montar un número y lo que hicieron fue presionar al embajador, que era José Félix de Lequerica. Éste escribió al Ministerio explicando lo enfadados que estaban los alemanes.

-La actitud de su padre en favor de sefardíes y judíos fue incesante. Intentó evitar la confiscación de bienes, luchó por lograr la liberación de los detenidos, no cejó en su empeño de garantizar su repatriación...

-Él era católico practicante y en su construcción anímica el concepto de caridad cristiana era muy importante. Mi padre apuró al máximo su margen de maniobra. Otros no lo hicieron. Era mucho más fácil quedarse sentado en el despacho y no hacer nada. Hubo una serie de órdenes y oficios del Ministerio retrasando las repatriaciones... Mi padre era un probo funcionario, cumplidor. Oficios del Ministerio, del Conde de Jordana y de Serrano Súñer duros, terribles, decían: «No hay que enfadar a nuestros amigos alemanes y cumplir las órdenes contra los judíos».

-¿Su padre les habló en casa de su gesta?

-Nunca. Yo me enteré por un libro que leí hace quince años de Haim Avni, donde se hablaba estupendamente de mi padre. Lo único que le oí decir fue: «Dábamos pasaportes a todos, a los inscritos y a los que no. A todo el mundo. Me costó el puesto gracias a Lequerica».

-Lequerica pidió al Ministerio que «lo quitaran de en medio».

-Pero no le castigaron. Luego le impusieron la Gran Cruz del Mérito Civil. Lequerica era terriblemente germanófilo. Mi padre no fue contra nada ni contra el Ministerio, sino más allá del deber. Salvó y protegió a muchas personas.

-Su padre es un ejemplo, imprescindible, de compromiso ético y labor humanitaria.

-Él era un caballero, una bellísima persona, un hombre generoso, bueno. Evitó la deportación de esas personas. De Francia me parece que deportaron a 170.000, de las cuales murieron más de la mitad. Y sacó gente que ya estaba en los campos de concentración.

-¿Cómo derribó las barricadas metálicas?

- Dando la lata, insistiendo al ver la terrible injusticia que se cometía. Antes de la deportación, a los judíos les obligaban a llevar una estrella, a ir en el último vagón del metro. Lo más terrible es que colaboraba la Policía francesa.

-¿De qué manera?

-La gran redada de París de judíos la hicieron ellos. Terrible.

-¿Qué dirá en nombre de su padre a los familiares de los sefardíes y judíos que salvó?

-Les hablaré de gratitud. Es impresionante que esta gente, casi 70 años después, tiene una gratitud emocionante. A mí me abrazan y yo les digo que no soy mi padre. «Para nosotros, sí», me dicen.

-Y España sigue sin honrar a sus héroes.

-Aquí tenemos una memoria histórica cortísima, pero muy corta.

6.2. Testimonios orales[135]

Guillermo Rolland: Mi padre tenía ese sentimiento de indignación ante lo que le parecía injusto. Yo creo que su actuación en París estuvo motivada por esta actitud suya, que es un poco la de la indignación ante la injusticia.

Charles Leselbaum: Yo creo que la actuación del Cónsul Rolland y del Cónsul Fiscowich, la raíz tenía que ser razones humanitarias porque se daban cuenta de la situación. Y también debía haber, como diría yo, una cierta ternura hacia esta gente que había abandonado España hacía cuatro siglos y medio y que amaban a España y hablaban el español. Un español un poco educado que conoce la historia de su país no puede quedarse de piedra ante esto, que es una supervivencia extraordinaria, gente que sale en 1492 y siguen teniendo los mismos refranes y siguen hablando como en aquella época.

Ser judío en 1939 no debía de ser fácil, porque obligarle a uno a llevar la estrella amarilla, subir en el último vagón del metro, no entrar en los jardines donde hay un cartel que dice prohibido a los judíos, no poder ir a los restaurantes, tener en su tienda, en el escaparate, almacén judío, comercio judío…. es una situación… Yo tengo mucha dificultad para imaginarla y para imaginar cómo hubiera reaccionado. Y los cónsules también veían esto, lo vivían, porque vivían en París. Yo creo que la nota humana ha debido ser importante.

La gente comienza a ir al Consulado y empieza el problema de quién es protegido, quién hijo de protegido, quién ha obtenido la nacionalidad gracias al Decreto de Primo de Rivera, que tiene una vigencia muy concreta.

También supongo que las autoridades consulares en París entendieron que aquí había un problema. Es cuando Rolland empieza a buscar en sus archivos la manera de solucionarlo y como hay una presión… Es lo que me

---

[135] Todos los testimonios orales están recogidos en el documental "Visados para la libertad. Diplomáticos españoles ante el Holocausto", producción de C5. Arancha Gorostola y Ricardo Basterra, 2007.

contó Enrique Saporta y Beja[136], de que montó una pequeña oficina, o por lo menos una mesa, dentro del Consulado de España, para acoger a toda esta gente que venía, y que las autoridades consulares, a lo mejor, no podían atender.

En 1941 tuvo lugar la primera gran redada en París, y Rolland multiplicó sus gestiones para obtener la liberación de 14 judíos españoles detenidos en Compiègne y en Drancy, un poco antes de la salida del primer convoy de deportados judíos hacia Auschwitz.

Henri Méchoulan: Fue la policía francesa. Quiero decir eso para que se sepa y el mundo lo sepa. Sin la policía francesa los alemanes no hubieran podido deportar a los judíos de Francia.

No creo que Franco decidiera "vamos a salvar a los judíos". Pero tampoco creo que lo impidiera de manera decidida. A fines de 1942 ya sabían todos los que pensaban un poco, que los alemanes habían perdido la guerra tras la derrota de Stalingrado. Y Franco tenía que pensar en la ayuda de los ingleses y, sobre todo, de los americanos. De este modo, 15.000 judíos pudieron salvarse. No con una política decidida, sino gracias a estos justos, a estos funcionarios que cerraban los ojos… Bueno, unos los cerraban y otros los abrían, porque tenían que ayudar en los países ocupados por los alemanes.

Además[137], mi abuelo materno se había acogido al Decreto de Primo de Rivera de 1924 para obtener la nacionalidad española, pero que habían perdido sus hijas al casarse. Aun así, el abuelo solicitó en Madrid el visado de entrada para sus hijas y sus familias, señalando que sus respectivos

---

[136] LISBONA, J.A.: *Más allá del deber. El servicio exterior humanitario frente al Holocuasto…*, p. 286.
[137] MÉCHOULAN, H.: "L'Espagne, pays refuges", en *YOD. Revue des études hebraiques et juives modernes et contemporaines* 19, pp. 129 y ss. Cif. en ROTHER, B.: *Franco y el Holocausto*, Marcial Pons, Barcelona, 2005, p. 190.

esposos eran sefardíes, pero no españoles. Obtuvieron los visados sin ningún problema y pudieron asentarse en Barcelona. Este ejemplo demuestra que, por motivos que podrían ir desde la generosidad hasta la corruptibilidad, había funcionarios que en no pocos casos no seguían las órdenes de Madrid.

Henri Carasso: Digamos que Franco no mostró realmente una voluntad clara de salvar a los judíos, sino que dejó a los funcionarios locales cierta libertad, cierta flexibilidad para hacer lo que querían hacer.

Probablemente, porque era una manera de mantener algún contacto con los americanos. Algo así como decir: "Mira, yo no estoy totalmente del lado de los alemanes. También permití que se hicieran cosas del lado de los aliados."

René Benbassat: El 21 de agosto de 1941 la policía francesa vino a buscar a mi padre a casa sobre las 5 o las 6 de la mañana. Mi padre fue arrestado y gracias a la intervención del Consulado Español se hicieron gestiones para que saliera. Mi padre fue liberado gracias al Cónsul, que se llamaba Rolland, que fue muy amable y, en la medida de lo posible, nos ayudó.

Alain de Toledo[138]: Mi padre fue arrestado por la policía francesa el 12 diciembre de 1941 y, afortunadamente, su nacionalidad española le protegió. Porque los esfuerzos del Consulado de España, del Cónsul Bernardo Rolland, permitieron que en marzo de 1942 fuera liberado. Debo decir que esta fecha de marzo de 1942 es muy importante, porque, como se indica en el libro del Sr. Klarsfeld sobre la deportación de los judíos de Francia, en esa fecha salió de Compiègne el primer convoy de judíos hacia Polonia. Por consiguiente, puedo decir que mi padre fue sacado del tren casi en el último minuto.

---

[138] Véase también Apéndice Documental, testimonios escritos, pp. 146-156.

Alain dice que todo se lo debía al cónsul Rolland y que, aunque no pudo organizar el convoy que el 10 de agosto de 1943 partió hacia España en el que iba su familia, fue él quien preparó los visados para 80 judíos españoles. Por ello, señala que Rolland salvó dos veces a su padre Nissim de Toledo, a su madre Nora Saporta, a sus dos abuelas Rosa Givre-de Toledo y Esther Asseo-Saporta, a su abuelo Joseph Saporta, así como a su tía Daisy Saporta[139]. En cierto sentido, le debo la vida, pues sin Rolland, -afirma Alain- ni mi padre ni mi madre se hubieran reencontrado en el convoy que los llevó a España[140].

Claude Sonsino[141]: El Gobierno francés de la época ayudó a los alemanes, que sin la ayuda de la policía francesa nunca habrían podido detener a 100.000 personas. Está muy claro. La colaboración de la policía francesa, de las autoridades francesas en general y de la policía francesa en particular, con Alemania, es la vergüenza más absoluta.

A principios de 1943 las autoridades alemanas dieron a España un ultimátum: los sefardíes españoles que no fueran repatriados antes del 31 de marzo recibirían el mismo trato que los restantes judíos.

Pero Madrid se mostraba intransigente. Finalmente, aceptó que sólo los sefardíes con la nacionalidad perfectamente determinada pudieran atravesar España, sin permanecer en ella, para dirigirse a un tercer país de acogida.

Rolland comenzó a preparar la repatriación y continuó entregando certificados de nacionalidad a los sefardíes que no reunían los requisitos exigidos por Madrid para ser repatriados.

En la historia general de Francia, Drancy representa la vergüenza absoluta. Drancy es el símbolo de la colaboración, porque de aquí salieron los

---

[139] Véase también Apéndice Documental, testimonios escritos, pp. 146-156.
[140] TOLEDO, A. de: "C'est un juste". http://www.sefaradinfo.org/Home/c-est-un-juste-par-alain-de-toledo página web. Consultado el 29 de enero de 2015.
[141] Véase también Apéndice Documental, testimonios escritos, pp. 146-156.

75 ó 77 trenes de la deportación. A la aceleración casi enloquecida del proceso de deportación, se sumó el endurecimiento de las condiciones exigidas por Madrid para llevar a cabo las repatriaciones y para permitir el paso de los judeo-españoles por España.

Quedaban en ese momento en París, más de un centenar de sefardíes que no reunían todos los requisitos para ser considerados españoles y, no podían, por lo tanto, ser repatriados. Dado que Madrid pareció autorizar su entrada en España, Fiscowich procedió a notificarles la inminencia de la repatriación. Prácticamente todas las solicitudes registradas en el Libro 12 de Pasaportes del Consulado de París, entre el 17 y el 29 de mayo, correspondían a sefardíes, en su mayor parte protegidos.

Pero las órdenes de Madrid cambiaron de nuevo. Sólo los sefardíes con la nacionalidad perfectamente determinada podían integrar el convoy que, con mucho retraso, salió finalmente de París el 10 de agosto de 1943. Tras varios meses de confinamiento en distintas localidades españolas, fueron enviados a un campo de refugiados en Marruecos.

Fiscowich intentó encontrar una salida para los protegidos que quedaban en París, proponiendo que se les enviara a un tercer país o que se les repatriara. Pero no obtuvo respuesta de Madrid.

Cuando en noviembre de 1943 se produjeron nuevas detenciones, los esfuerzos del Consulado español permitieron liberar a 23 judeoespañoles. Pero otros muchos habían sido ya deportados, como Robert Benbassat, detenido por segunda vez, o el matrimonio Naar.

Gracias a la intervención del Consulado de España, 21 personas fueron liberadas de Drancy. Entre estas personas estaban mis padres. Fueron liberados como nacionales españoles.

Lia Benveniste: Mi padre nunca se hizo reconocer como español, tenía derecho al Decreto de Primo de Rivera, era un Decreto de 1924, pero como quería ser francés, no quiso optar por la nacionalidad española. No tenía nacionalidad. Circulaba, tenía salvoconducto… Estaba reconocido más o menos como español, pero no era propiamente español.

Volvimos de Drancy sin saber lo que iba a pasar, sin poder ver a mi padre, sin saber si iba a salir o no…. Tres días después, mi padre volvió de Drancy, sin que le esperáramos, después de haber pasado allí diez días.

Las últimas deportaciones, la presión internacional y la modificación del curso de la guerra, hicieron que Madrid admitiera finalmente la repatriación de los sefardíes españoles que quedaban en París. Fiscowich preparó un último convoy de repatriación, que no llegó a materializarse, al producirse el desembarco aliado.

Marcel Canetti[142]: Mis padres eran de nacionalidad española y nosotros éramos de nacionalidad francesa. Este hecho dificultó mucho las cosas, porque éramos una familia dividida en dos. Mi padre tuvo que intervenir. Hubo muchos problemas, muchas dificultades. Pero con mucha habilidad, con mucha sangre fría, logró hacernos partir, a pesar de todo, como si fuéramos aún nacionales españoles.

Bernardo Rolland cesó como Cónsul General en febrero de 1943, correspondiendo a su sucesor, Alfonso Fiscowich, gestionar la repatriación de los judíos españoles de París. La labor de Fiscowich se desarrolló en el peor momento desde el inicio de la ocupación.

El ultimátum alemán coincidió con la llegada a París de Alois Brunner. La misión de Brunner era acelerar el ritmo de las deportaciones. El campo de Drancy se convirtió en una enorme colmena, llena de seres humanos

---

[142] Véase también Apéndice Documental, testimonios escritos, pp. 146-156.

destinados a la deportación. Cada convoy que partía se traducía en nuevas detenciones y en nuevos convoyes, a un ritmo que se aceleró con el tiempo, hasta alcanzar su paroxismo en 1944.

Robert Benbassat: La noche del 25 de noviembre de 1943 habían arrestado a unos 120 españoles que llevaron a Drancy. La primera deportación de los españoles fue el convoy nº 66 del 20 de enero de 1944. Mi padre estaba en ese convoy. Después hubo otra deportación de españoles, pocos días después. En el convoy de mi padre había 40 españoles y en el convoy posterior había unos 20. Los demás, el último tercio, si quiere, fueron liberados gracias a la intervención del Consulado de España. Pero fueron liberados algunos días después de la partida de los deportados españoles.

Claudine Naar: Estuvieron en Drancy dos meses, que era mucho para la época. Asaltamos el Consulado. Mi tío no judío acudió al Consulado. Primero lo negaron, le dijeron que era imposible, que no habían detenido a ningún judío. Hasta que tuvieron que rendirse a la evidencia. Había 120 españoles detenidos. Hubo un primer convoy de 40, y una semana después, un segundo convoy.

6.3. Testimonios escritos[143]

Claude Sonsino: Nota concerniente a la liberación de mis padres del Campo de Drancy, obtenida por la intervención del Consulado de España y de su Cónsul General Bernardo Rolland.

Mis padres llegaron a Francia en 1924 procedentes de Turquía. Como muchos en esta época, hablaban además del judeo-español el turco y el francés. Perfectamente francófonos enseguida encontraron trabajo en Francia. En 1926 se casaron (en verdad, se volvieron a casar civilmente) con el nacimiento de su primer hijo.

Mi padre y mi abuelo poseían pasaporte español obtenido en 1924 en el Consulado de Philippópolis (Bulgaria). En este periodo mi padre trabajaba en el banco de Bulgaria, sucursal de Philippópolis. Certificado de trabajo en francés.

Teniendo en cuenta los acontecimientos en Francia, mi padre volvió a tomar contacto con el Consulado de España a partir de 1941, y por esta razón le expidieron (junto a mi madre) documentos mencionando su nacionalidad española, firmados por el Cónsul General Rolland.

A pesar de estos documentos, fuimos detenidos la noche del 25 de noviembre de 1943 mis padres, mi hermano pequeño, nacido en 1939, y yo. Esta detención por agentes de policía se basaba en la lista proporcionada a las Comisarías de Policía por la Prefectura. Mi hermano mayor, nacido en 1926, y que tenía más de16 años, no figuraba en esta lista, y no fue detenido, sin exceso de celo de los policías. Por el contrario, aunque no figurábamos en esta lista, mi hermano pequeño y yo fuimos llevados, pues las instrucciones eran de coger a los niños pequeños. Por esta razón, nos llevaron con nuestros padres.

---

[143] Testimonios incluidos en el dossier presentado por Alain de Toledo y la Fundación Raoul Wallenberg al Yad Vashem de Jerusalem.

Basándose en esta lista, donde no figurábamos mi hermano y yo, es por lo que mi madre demandó y obtuvo nuestra liberación ante un alto cargo de la Comisaría de policía del Grand Palais, centro de reagrupamiento, después de un paso por el de Neuilly donde habitábamos y donde habíamos sido llevados al principio. Por lo tanto, mi hermano y yo no estuvimos nunca en Drancy. En cuanto nos soltaron, nos volvimos a juntar con mi hermano mayor, y gracias a unos amigos y vecinos nos cogieron a su cargo y estuvimos "desaparecidos".

Durante su internamiento, el Consulado ha estado al corriente, y gracias a su intervención, probablemente después del desplazamiento a Drancy de un miembro del Consulado español el 21 de febrero de 1944, mis padres fueron liberados del campo de Drancy el 25 de febrero de 1944 con una veintena de personas. La ficha de mis padres del campo de Drancy lleva la mención "liberado como ciudadano español".

Cuando mis padres fueron liberados se pusieron en contacto con unos amigos que vivían muy cerca y que les ocultaron en una habitación de servicio.

Ayudados por unos vecinos, amigos y colegas de mi madre, han podido permanecer en este lugar hasta la liberación de París sin ser molestados especialmente.

Es innegable que gracias a esta liberación obtenida por los documentos expedidos por el Cónsul general Rolland y las acciones de su sucesor, mis padres no fueron deportados y permanecieron con vida. Mis padres y nosotros mismos siempre le hemos estado agradecidos, aunque no hayamos tenido la posibilidad de hacérselo saber.

Documentos en mi posesión: documentos del Consulado General de España en Francia con fotos concernientes a mis padres y mencionando la nacionalidad de los portadores, en fecha de 20 de enero de 1943 y firmados por Bernardo Rolland.

Firma: Claude Sonsino

Marcel Canetti[144]**:** Mi nombre es Marcel Canetti, nací el 6 de diciembre 1927 en París. Vivíamos en Suresnes, en los alrededores de París. La familia estaba compuesta por mi padre Elias (que no debe confundirse con su primo Elias Canetti, el premio Nobel) que nació el 27 de febrero 1895 en Roustchouk, en Bulgaria, mi madre Marianne Sidi, nacida en Plodviv, Bulgaria también, mi hermana Ruth, nacida en 1926, y mi abuela Matilde.

Mi padre llegó a Francia en 1924 para ayudar a su tío José, que tenía la nacionalidad española, y al cabo de un año regresó a Bulgaria para casarse y volvió con su esposa. Su objetivo era ir realmente a Palestina. En realidad, se ocupó del negocio de su tío José, que había montado un negocio de baterías Aglo. Mi padre hablaba perfectamente alemán y él era plenamente consciente de lo que estaba ocurriendo en Alemania. Antes de la guerra yo estaba en 4º en la escuela primaria superior de Suresnes y como mis padres no estaban tranquilos, habían reservado habitaciones en el hotel para los dos niños donde pasábamos las noches. Por mi parte, yo iba cada vez con menos frecuencia a la escuela, pues los otros sabían que yo era judío y había más y más muestras de antisemitismo.

Los comerciantes sabían que éramos judíos debido a la J de las tarjetas de comida. Mis padres estaban en contacto con el Consulado de España con la esperanza de salir del país si las cosas empeoraban. Tenían el famoso decreto real que les reconocía la nacionalidad española. Mi padre fue detenido cuando cruzaba el puente de Suresnes en un control policial, pero gracias a un comisario de policía amigo pudo pasar.

No llevábamos la estrella de David porque los españoles no tenían que llevarla, en cambio sí tenían la J en los documentos de identidad. Las amenazas eran cada vez más precisas y nuestros padres nos informaban regularmente. Hay que decir que al día siguiente de nuestra partida los

---

[144] Véase Apéndice Documental, Reproducción facsimilar, p. 188.

alemanes vinieron a buscarnos a nuestra casa de Suresnes. Mi padre estaba en contacto con el cónsul Bernardo Rolland y otros miembros de la comunidad como Gategno y Saporta. Por otro lado, estábamos separados del resto de la familia que permanecía en Bulgaria, y no fue hasta después de la guerra que hemos tenido noticias por mediación de la Cruz Roja. Mi padre me contó las dificultades que tuvo, y sólo después de la guerra yo me he dado cuenta del papel de cónsul Bernardo Rolland que le hizo comprender que la situación era insostenible y que la protección del Consulado no sería suficiente, y un día, el 4 de agosto de 1943, se enteró de que tenía que hacer las maletas, pero él ya había tomado la precaución de enviar los muebles a Barcelona. El 10 de agosto 1943 fue la gran partida, nos reunimos en la estación de Austerlitz mi padre, mi madre, mi abuela, mi hermana y yo, y allí nos encontramos con varias familias judeo-españolas: los Franco, los Benveniste, los Benbassat, los Molho, los Saporta... No estábamos tranquilos porque la estación estaba llena de soldados alemanes. Mi padre era el jefe del convoy, fue un maravilloso organizador, hablaba alemán y español y tenía mucha autoridad, pero todo eso era muy frágil, todo pendía de un hilo. Nos condujo hasta Hendaya, y allí tuvo el último control mi padre y fue llevado a un despacho con un oficial alemán.

En el convoy había varias familias, yo me acuerdo de los Franco, que, como nosotros, estuvieron luego en Zaragoza cuando las diferentes familias fueron enviadas a varias ciudades de España, porque el gobierno de turno no podía aceptar demasiadas familias en un solo lugar; estaban también los Benbassat que tenían una tienda "Josette" en la Avenida Mozart. Fuimos ayudados por el JOINT americano. Éramos cinco con mi abuela Matilde, la madre de mi padre. Pasamos Irún y estuvimos en Zaragoza en el hotel Europa y después en una pensión de la familia Muñoz. No alojamos allí cuatro meses. El hecho de volver a ser libres después de todas las presiones sufridas en Francia era una gran felicidad. Queríamos ir a Barcelona, pero no fue posible. Mi padre fue varias veces a Madrid para negociar con los funcionarios del gobierno, pero finalmente no pudimos permanecer en España. Todas las familias se volvieron a encontrar en Málaga y embarcaron para Marruecos. Tomamos el Lépine, el barco tenía retraso debido al mal tiempo, por suerte, ya que nos dijeron que había podido ser torpedeado. En el barco me robaron mi pasaporte, lo que hizo muy difícil el desembarco. Fuimos agrupados en el campamento de Médiouna y mi padre, que fue llamado para llevar a cabo los trámites administrativos, se ausentó y me confió al señor Nissim de Toledo. Después fuimos a la escuela de la Alianza Francesa, calle Ferdinand de Lesseps, donde todos nos volvimos a encontrar y tuvimos una gran fiesta y cada familia disponía de una clase; luego tuvimos un pequeño pabellón prefabricado en la calle Krantz. Allí seguíamos en los periódicos el desarrollo de las operaciones de la guerra y teníamos prisa por a volver a Francia, había soldados estadounidenses que gozaban de gran prestigio y en agosto de 1945 regresamos a Francia.

Meudon, 10 de enero 2005

M. Canetti

Nora Saporta, madre de Alain de Toledo[145]: Nací el 19 de julio 1916 en Salónica. Mi padre Joseph Saporta, mi madre Esther Asseo y mis dos hermanas Lily y Daisy formaron mi familia. La ciudad de Salónica había sido muy marcada por diferentes eventos internacionales: Guerra greco-turca y Primera Guerra Mundial, por lo que una parte de la comunidad judía española, que se había instalado desde el siglo XV en lo que en ese momento era el Imperio Otomano, comenzó a emigrar hacia diferentes zonas del mundo, en particular hacia Francia. Francia en esa época representaba una pieza clave para la cultura occidental y por lo tanto atrajo a la élite de la comunidad. Los hombres fueron enviados a la escuela de la Alianza Israelita Universal y las mujeres, a menudo, a un convento, y ese fue mi caso.

Así pues, por algunas razones vinculadas con la salud de mi padre, la familia decidió venir a Francia en 1928. En primer lugar, nos instalamos en Clichy, y luego encontramos un apartamento, en el número 55 del boulevard Gouvion Saint-Cyr, distrito 17, donde todavía vivo con mi hermana. Con el fin de atender las necesidades de la familia, las tres hermanas encontraron rápidamente un puesto de trabajo, por lo general en las empresas propiedad de miembros de la comunidad de Salónica que se habían instalado en París...

Mi hermana mayor se casó con Albert Gattegno antes de la guerra y tuvieron dos hijos: Jacqueline, nacida en 1937, y Jean-Claude, nacido en 1941. Mi cuñado era ciudadano turco, mientras que nosotros éramos ciudadanos españoles que nos habíamos acogido al Real Decreto de Primo de Rivera, lo que nos había llevado a mantener contactos regulares con el Consulado español. Mis primos, Nick y Enrique Saporta, fueron los que principalmente tuvieron relaciones frecuentes con el Consulado y conocían muy bien al cónsul Bernardo Rolland, que ayudó mucho durante la guerra.

---

[145] Nora Saporta murió el 31 de enero de 2016.

La guerra nos obligó a salir de París, como una gran parte de los parisinos, y nos refugiamos en Toulouse y luego regresamos a París. Ahí fue donde nos tuvimos que enfrentar con las primeras medidas antisemitas. Aunque, a nosotros como judíos españoles no nos afectaban esas medidas, mi padre prefirió someterse a ellas como medida de precaución, y así es como nos llevaron nuestro equipo de radio a la estación de policía y, sobre todo, llevábamos la estrella amarilla, aunque no estábamos obligados a ello. Las cosas se agravaron cuando mi cuñado y mi hermana mayor fueron arrestados y confinados en Drancy. Afortunadamente, el Consulado de Turquía logró sacarlos, y en ese momento decidieron ir a Estambul con su hija, dejando a su hijo escondido con unos campesinos franceses.

En cuanto a nosotros, nuestros primos Nick y Enrique estuvieron trabajando en el Consulado español para ayudar a los judíos a obtener la ciudadanía española, y el cónsul Bernardo Rolland siempre estuvo escuchando y ayudando a los judíos lo mejor que pudo.

Así es como el Consulado nos había informado de que la protección que nos estaban dando iba a ser insuficiente y que teníamos que planear ir a España. Así que yo participé en el convoy que salió de París el 10 de agosto de 1943 para ir a España, donde llegamos por Irún. Alrededor de 80 personas formaban este convoy; mi padre José Saporta, mi madre Esther Saporta Asseo y mi hermana Daisy Saporta formaban mi familia. Fue en ese convoy donde conocí al que sería mi marido, Nissim de Toledo, que iba acompañado por su madre, Rose de Toledo[146]. Lo conocí gracias a mi cuñado Albert Gattegno, que pertenecía a la izquierda nacional turca en Estambul con su esposa (mi hermana mayor) siendo después confinado en el campo de Drancy. Mi marido había sido arrestado y confinado en Compiègne, desde donde el cónsul español Bernardo Rolland lo liberó al presentar su nacionalidad española. El

---

[146] Véase Apéndice Documental, imágenes, p. 182.

mismo Cónsul hizo todo lo posible para proteger a los judíos españoles, es decir, aquellos que podían demostrar que se habían acogido al Real Decreto de Primo de Rivera.

El Consulado, considerando que las presiones de las autoridades alemanas eran demasiado fuertes como para seguir resistiendo, nos informó en el último minuto que teníamos que partir rápidamente. Cuando salimos, la policía precintó la puerta de nuestro apartamento. El Sr. Canetti estaba al frente del convoy y facilitaba los trámites con las autoridades alemanas cuando pasamos la frontera.

.... Cuando llegamos a Irún, nos las arreglamos para permanecer allí durante diez días, más o menos, y luego se dispersaron las diferentes familias; nos habían dado la posibilidad de elegir entre una docena de ciudades. Nuestra familia eligió Logroño donde nos ayudó el JOINT americano. Nos alojamos allí durante tres o cuatro meses y luego nos dijeron que no podíamos quedarnos en España. A partir de ahí, fuimos a Madrid, luego a Málaga, donde nos embarcamos para Marruecos, y nos quedamos hasta el final de la guerra en Casablanca.

París, 15 de noviembre de 2004

Alain de Toledo, hijo de Nora Saporta[147]: Desde las primeras medidas antisemitas, el Cónsul Rolland envió telegramas y telegramas a sus superiores, bastante pro-alemanes, para convencerles de que tenían que hacer algo por los judíos españoles. Escribió numerosas cartas a las autoridades de ocupación y a las autoridades colaboracionistas, diciendo que la legislación española no hacía distinción alguna de raza. Por su cuenta se las arregló para hacer salir a muchos judíos de Compiègne y Drancy, firmando certificados de

---

[147] http://www.sefaradinfo.org/Home/c-est-un-juste-par-alain-de-toledo

nacionalidad española a personas que eran protegidos que "normalmente" no tenían derecho a ello. Puso a disposición de cuatro judíos españoles, entre ellos Nick y Enrique Saporta y Beja[148], primos de mi madre, y Elias Canetti, primo del Premio Nobel de Literatura, un despacho dentro del Consulado para tratar todos los casos de las personas que estaban en peligro.

Él permitió que decenas de personas pudieran llegar individualmente a España. Para que no fueran molestadas por los alemanes viajaban en los vagones sellados de la Falange. Y, sobre todo, cuando se dio cuenta de que incluso la nacionalidad española ya no era una protección, emprendió todo tipo de gestiones en el Ministerio de Asuntos Exteriores para que los judíos españoles fuesen repatriados de forma colectiva a España. En ese momento el Gobierno español acordó un goteo de entradas individuales de judíos en España. El cónsul Rolland luchó con todas sus fuerzas para conseguir el permiso para organizar los convoyes.

Desafortunadamente, su acción no gustó ni al embajador ni al Ministerio. Rolland fue cesado de su cargo y regresó a España. Por tanto, no pudo organizar el convoy del 10 de agosto de 1943 que llevó a mi padre a España, así como a otros 80 sefardíes. Su sucesor terminó su trabajo. Así que considero que el cónsul Bernardo Rolland salvó dos veces a mi padre Nissim de Toledo. También salvó a mi madre Nora Saporta[149], a mis dos abuelas Rosa Givre-de Toledo y Esther Asseo-Saporta, mi abuelo Joseph Saporta y mi tía Daisy Saporta. Entiendo que le debo la vida, ya que sin él... tanto mi padre como mi madre no se hubieran reencontrado en el convoy que les trajo a España.

---

[148] Véase Apéndice Documental, imágenes, p. 180.
[149] Véase Apéndice Documental, imágenes, p. 181.

Si mi padre fue liberado fue gracias a la dedicación y eficacia del Cónsul español en París Bernardo Rolland. Cónsul de un país "amigo" de Alemania, pero indignado por la persecución sufrida por los judíos, hizo todo lo que estaba en su poder para cambiar el destino de los que tendrían una muerte segura.

Ahora volvamos de manera más concreta a mi padre… Entre los judíos reconocidos por el Consulado español en París, cerca de 2.000, estaban los que tenían la documentación perfectamente en orden y por lo tanto poseían la nacionalidad española, y los que por diversas razones no habían cumplido plenamente las condiciones y tenían el estatuto de "protegido". En tiempos normales, parece que la diferencia no fue muy importante, pero en 1940 eso cambiaba todo. Mi tío, Maurice Menahem, era para las autoridades de ocupación y sus colaboradores un apátrida, y es a él a quien la policía francesa vino a buscar el 12 de diciembre. Después me enteré por la lectura de los textos de Serge Klarsfeld que ese día fue el de la redada de "notables", todos los principales abogados judíos, los presidentes de tribunales, los banqueros ...

Mi tío y mi padre no tenían nada de notables, pero la policía francesa, menos eficiente que sus colegas alemanes, no habían descubierto más que 743 personas notables. Era preciso completar hasta llegar a la cuota de 1.000 establecida por los nazis. De ahí el recurso al arresto de judíos apátridas. Pero mi tío no estaba en casa ese día.

Sin embargo, mi padre, enfermo, acababa de someterse a una operación, sí se encontraba en casa y se lo llevaron en lugar de su hermano. A pesar de que era español fue detenido y enviado al campo de Compiègne, campo que Jean-Jacques Bernard, hijo de Tristán, llamará en su hermoso libro "el campamento de la muerte lenta". Mi padre, por suerte, salió el 14 de marzo de 1942, pues el 27 de marzo de 1942 partiría de Compiègne el primer convoy de deportados desde Francia...

Como una buena parte de la acción del Cónsul Rolland era clandestina y a veces ilegal, es difícil decir cuántas personas ha salvado. Por mi parte estimo el salvamento de al menos 300 personas, pero reconozco que es una aproximación, basada en las gestiones de Arancha Gorostola que ha rodado un documental sobre el Cónsul para TV.

6.4. Prensa

Le Matin

50 CENTIMES — 50 CENTIMES

Bld. & Fbg. Poissonnière. Paris, 9e — Tél. PROvence 1501 (8 lignes) — Télégr. Matin-Paris

57e ANNÉE — N° 20.665 ★ **JEUDI 24 OCTOBRE 1940**

NOUVELLES MESURES CONTRE LES JUIFS

Deuxième ordonnance inspirée par la nécessité de dénoncer l'influence juive dans l'économie française.

La puissance des juifs dans l'économie française est bien plus grande qu'on ne le suppose en général.

En raison de la "solidarité des juifs entre eux, elle représente un réel danger pour l'économie française et pour la collaboration loyale de celle-ci avec les autorités d'occupation allemandes.

La législation française n'est pas armée pour lutter utilement contre cette influence néfaste ni même pour organiser la défense qui s'impose.

Un camouflage

Profitant en effet des principes de tolérance régnant en France — principes qui interdisent de s'enquérir de la confession religieuse — les juifs s'étaient jusqu'alors

[...] l'ampleur d'une influence juive, y sera exprise.

Pas de simulacre

Cette influence, particulièrement forte lorsqu'elle est anonyme, sera énoncée par l'obligation de déclarer toutes les participations juives, avent à peine reconnaissables même pour ceux qu'elles touchent très près. Les entreprises qui vivent ainsi sous l'influence juive, auvent être, par décision du préfet, déclarées entreprises juives.

L'ordonnance ne tend nullement à substituer les Allemands aux Français, au contraire, les Français ne sont donc pas en cause. Mais, dans le but de vérifier s'il ne s'agit pas de simples simulacres de transferts à des hommes de paille, les entreprises qui étaient encore juives après le 23 mai 1940, devront également être déclarées. Si un transfert donne lieu à des doutes sérieux, il pourra être déclaré nul et non avenu.

Des gérants-commissaires

L'économie française ne doit pas être entravée; les juifs continueront donc à tenir leurs maisons de commerce. Mais dans les plus importantes, l'influence juive sera brisée par l'institution de gérants-commissaires et ce seront, en premier lieu, des Français qui seront choisis pour ces postes.

[...] ordonnance est conçue sur la base d'une ferme collaboration des autorités françaises et de la population française.

(Voir en troisième page, col. 1 et 2 le texte de l'ordonnance)

NOUVELLES MESURES CONTRE LES JUIFS

DEUXIEME ORDONNANCE
en date du 18 octobre 1940

En vertu des pleins pouvoirs qui m'ont été conférés par le Führer und Oberster Befehlshaber der Wehrmacht, j'ordonne ce qui suit:

I

Aux termes de cette ordonnance est considérée comme entreprise économique toute entreprise ayant pour objet la participation autonome dans la fabrication, transformation, échange et l'administration de marchandises, sans tenir compte de la forme juridique de l'entreprise et de l'immatriculation dans un registre. Entre autres, les banques, les compagnies d'assurances, les études des notaires et avoués, la charge de l'agent de change et les sociétés immobilières [...] et les sociétés immobilières [...] sont également comprises dans cette catégorie.

Est considérée comme juive une entreprise dont les propriétaires ou titulaires de bail:

a) sont juifs ou;

b) sociétés en nom collectif dont un associé est juif ou;

c) sociétés à responsabilité limitée, dont plus d'un tiers des associés sont juifs, ou dont plus d'un tiers des participations sont entre les mains d'associés juifs, ou dont le gérant est juif ou dont plus d'un tiers des membres du conseil de surveillance sont juifs;

d) sociétés anonymes dont le président du conseil d'administration ou un administrateur délégué ou plus d'un tiers des membres du conseil d'administration sont juifs.

En outre, est considérée comme juive toute entreprise qui recevra du préfet du lieu de son siège social la notification qu'elle se trouve sous l'influence prépondérante juive.

II

Toute entreprise économique juive et toute entreprise économique juive qui ont été juives depuis la date du 23 mai 1940 doivent être déclarées jusqu'au 31 octobre 1940 au sous-préfet compétent et à Paris au préfet de police. Sont compétentes les autorités de l'arrondissement où les personnes physiques ont leur domicile et où les personnes morales ont leur siège. Ceci s'applique également aux entreprises économiques juives, ayant leur siège social en dehors du territoire occupé pour la partie de leur entreprise exploitée en territoire occupé. Les entreprises juives visées à l'article premier, n'ont pas de déclaration à faire.

La déclaration doit contenir:

a) raison sociale, siège et propriétaire ou titulaire de bail de l'entreprise, en faisant ressortir les faits sur la base desquels l'entreprise est juive ou avait été juive depuis le 23 mai 1940;

qui ont fait disparaître ces présomptions;

c) La spécification des marchandises ou biens qui sont négociés, fabriqués ou administrés, en faisant ressortir l'objet principal de l'activité;

d) succursales, usines et exploitations accessoires;

e) chiffre d'affaires d'après la dernière déclaration d'impôts;

f) la valeur du stock des marchandises, des matières premières existantes, des propriétés immobilières administrées et des espèces.

III

Toute entreprise économique juive ainsi que tous les juifs et conjoints de juifs et toutes les personnes morales qui le sont des entreprises économiques [...] entreprises économiques ayant plus d'un tiers de juifs parmi leurs membres ou d'une juive parmi la direction doivent déclarer jusqu'au 31 octobre 1940 auprès du sous-préfet et à Paris auprès du préfet de police:

les actions leur appartenant ou qui leur ont été remises en gages, les participations dans les sociétés;

les commandites dans des entreprises économiques et prêté effectués à des entreprises économiques, de plus, leurs propriétés immobilières et leurs droits dans les propriétés immobilières.

Sont compétentes pour recevoir les déclarations, les autorités de l'arrondissement où se trouve le siège de l'entreprise visée ou l'emplacement de la propriété immobilière hypothéquée ou non.

IV

Toute opération juridique effectuée après le 23 mai 1940 et disposant des biens des personnes nommées à l'article 3 pourra être déclarée nulle par le chef de l'administration militaire en France.

V

Pour les entreprises juives il pourra être nommé un commissaire-administrateur à qui s'appliqueront les prescriptions de l'ordonnance concernant la gestion des affaires du 20 mai 1940 (Vobl. 'F' P. 31).

L'article 1er de l'ordonnance concernant la gestion des affaires continue à être valable pour les entreprises économiques juives.

VI

Les infractions aux articles 2 et 3 seront punies par l'emprisonnement et amende ou une de ces deux peines. De plus les biens des entreprises n'ayant pas fait de déclaration, ainsi que les biens qui, aux termes de l'article 3 devaient être déclarés, mais qui ne l'ont pas été, peuvent être confisqués.

VII

Cette ordonnance entrera en vigueur dès sa publication.

Pour le commandant en chef de l'armée.

Fuente: A.M.A.E., R., leg. 1.716

157

Voice enfin la liste des professions
INTERDITES AUX JUIFS
Ils devront cesser toute activité le 16 janvier

La préfecture de police rappelle aux juifs que, d'après la loi du 17 novembre 1941 [...]

Sont interdites aux juifs, sauf dans les emplois subalternes ou manuels, toute fonction ou activité exercées dans les professions concernant la banque, le change, les bourses de valeurs, les bourses de commerce, les assurances, l'armement, le démarchage, la publicité, les prêts de capitaux, la négociation des fonds de commerce, les transactions immobilières, le courtage, la commission, les commerces de grains, de céréales, de chevaux, de bestiaux, le commerce des tableaux, le commerce d'antiquités, l'exploitation des forêts, les concessions de jeux, l'information, la presse périodique à l'exception des publications de caractère strictement scientifique ou confessionnel israélite ; l'édition et l'impression d'ouvrages quelconques à l'exception des œuvres de caractère strictement scientifique ou confessionnel israélite ; la distribution ou la production de films cinématographiques, l'entreprise ou l'agence de théâtres ou de spectacles, la radiodiffusion.

Les juifs doivent avoir abandonné les fonctions ou les activités qui leur sont interdites à la date du 16 janvier 1942.

Ils devront restituer aux services qui les leur ont délivrées les cartes professionnelles dont ils pourraient être détenteurs.

Les étrangers devront, en outre, se présenter, munis de leur carte d'identité et de trois photographies de profil droit à la préfecture, service des commerçants étrangers, escalier F, 1er étage.

Les dispositions de l'ordonnance des autorités occupantes du 26 avril 1941 (Vobif du 5 mai 1941) [...] leur pleine application en ce qui concerne les professions non énumérées ci-dessus.

Il est rappelé également que tout juif qui par l'effet des lois et des décrets pris pour leur application a dû abandonner les fonctions, les pouvoirs ou les droits qu'il détenait dans une entreprise déterminée, ne peut être employé dans cette entreprise à quelque titre que ce soit.

Fuente: A.M.A.E., R., leg. 1.716

CONSULADO GENERAL DE ESPAÑA
EN FRANCIA

La déclaration des enfants juifs est obligatoire

La Préfecture de Police communique :

Il est prescrit à tous les juifs français et étrangers ayant un ou plusieurs enfants âgés de moins de 15 ans, que ces derniers soient juifs ou non juifs, d'en faire la déclaration.

La même obligation est faite aux juifs ou non juifs représentants légaux d'enfants juifs âgés de moins de 15 ans.

Cette formalité doit être accomplie même si les enfants figurent déjà dans la déclaration souscrite par le père, la mère ou le représentant légal.

La déclaration devra être faite au moyen d'un imprimé qui devra être retourné à l'Annexe de la Préfecture de police, angle de la rue Adolphe-Adam et de l'avenue Victoria, de 9 h. à 11 h., de 14 h. à 18 h., aux dates suivantes de mars :

Le 3, pour ceux dont le nom commence par la lettre A ; les 4-5, pour les B ; le 6, pour les C, D, E, F ; le 7, pour les G, H, I, J ; le 9, pour les K, L, M ; le 10, pour les N, O, P, Q, R ; le 11, pour les S, T ; le 12, pour les U, V, W, X, Y, Z.

Les imprimés devront être retournés par la poste, remplis, au Bureau des Affaires juives, à la Préfecture de police, dans un délai de 48 heures.

L'omission de déclaration peut exposer les responsables aux peines prévues par la loi du 2 juin 1941 portant statut des juifs.

En cas de naissance d'enfant juif ou d'enfant de juif, postérieurement aux dates ci-dessus, la déclaration devra en être faite à la Préfecture de police, Bureau des Affaires étrangères.

Fuente: A.M.A.E., R., leg. 1.716

Nouvelles mesures contre les Juifs

De nouvelles mesures contre les juifs viennent d'être prises en France occupée

Sixième ordonnance du 24 mars 1942

Le « Journal Officiel » contenant les ordonnances du Militaerbefehlshaber in Frankreich publie l'ordonnance suivante :

En vertu des pleins pouvoirs qui m'ont été conférées par le Führer und Oberster Befehlshaber der Wehrmacht, j'ordonne ce qui suit :

I

L'alinéa 1 du paragraphe 1 de la troisième ordonnance du 26 avril 1941 relative aux mesures contre les juifs (V.O.B.I.F. page 233) est modifié comme suit :

(1) Est considérée comme juive toute personne qui a au moins trois grands-parents de pure race juive. Est considéré ipso jure comme de pure race juive un grand-parent ayant appartenu à la religion juive. Est considérée également comme juive toute personne issue de deux grands-parents de pure race juive :

(a) Le 25 juin 1940 appartenait à la religion juive ou qui y appartiendrait ultérieurement; ou qui,

(b) Le 25 juin 1940 était mariée à un conjoint juif ou qui aurait épousé après cette date un conjoint juif.

En cas de doute est considérée comme juive toute personne qui appartient ou a appartenu à la religion juive.

IV

Indemnité

Les employés considérés désormais, en vertu de la présente ordonnance, comme juifs, congédiés au

---

(Suite de la 1ʳᵉ page)

Déclaration postérieure

(1) Toute personne qui, sans avoir été jusqu'à présent considérée comme juive, est soumise désormais aux dispositions du § 1 de la Troisième Ordonnance du 26 avril 1941 relative aux mesures contre les juifs (VOBIF, page 255) modifiées par le § 1 de la présente ordonnance devra, avant le 1ᵉʳ mai 1942, faire les déclarations prescrites par le § 3 de l'Ordonnance du 27 septembre 1940 relative aux mesures contre les juifs (VOBIF, page 92) et par les § 2 et 3 de la Deuxième Ordonnance du 18 octobre 1940 relative aux mesures contre les juifs (VOBIF, page 231) et remettre les postes récepteurs de T. S. F. visés par le § 1 de l'Ordonnance du 13 août 1941 portant confiscation de postes de T. S. F. appartenant aux juifs (VOBIF, page 278).

III

Interdiction d'exercer certaines activités économiques ainsi que d'employer des juifs.

1) Toute personne qui, sans avoir été jusqu'à présent considérée comme juive l'est désormais en vertu de la présente ordonnance, est soumise, à partir du 1ᵉʳ mai 1942, aux dispositions du § 3 de la Troisième Ordonnance du 26 avril 1941 relative aux mesures contre les juifs (V.O.B.I.F., page 255), portant interdiction d'exercer certaines activités économiques, ainsi que d'employer des juifs.

2) Il en est de même pour les entreprises qui, en vertu de la présente ordonnance, doivent être considérées comme juives, et pour lesquelles un commissaire-gérant n'a pas été nommé.

1ᵉʳ mai 1942 ou à une date ultérieure, ne pourront prétendre à aucune indemnité pour brusque congédiement, alors même qu'il ne serait pas interdit de les maintenir dans leur emploi.

V

La présente ordonnance entre en vigueur dès sa publication.

Der Militärbefehlshaber
in Frankreich.

~~~

Cinquième règlement d'exécution, du 13 avril 1942 se rapportant à l'ordonnance du 30 décembre 1940 de l'Oberbefehlshaber des Heeres concernant le trafic postal et les télécommunications dans les territoires occupés de l'Ouest.

Le « Journal Officiel » contenant les ordonnances du Militärbefehlshaber in Frankreich publie l'ordonnance suivante :

En vertu des pleins pouvoirs qui m'ont été conférés par le Führer und Oberster Befehlshaber der Wehrmacht, j'ordonne ce qui suit :

Les paragraphes 4 et 5 du premier Règlement d'exécution du 1ᵉʳ février 1941, se rapportant à l'Ordonnance du 30 décembre 1940 de l'Oberbefehlshaber des Heeres concernant le trafic postal et les télécommunications dans les territoires occupés de l'Ouest, seront rédigés de la manière suivantes :

§ 4

Le trafic téléphonique et télégraphique avec le Reich, la Belgique, la France métropolitaine non occupée, les départements du Nord et du Pas-de-Calais, ainsi que le trafic télégraphique avec le Danemark et la Norvège ne sont admis qu'en vertu d'une autorisation spéciale.

Tout autre trafic de télécommunications franchissant les limites du territoire soumis à mon commandement reste interdit.

§ 5

Les communications par télégramme entre les abonnés privés, qu'elles soient à l'intérieur du territoire soumis à mon commandement ou qu'elles franchissent les limites dudit territoire, ne sont admises qu'en vertu d'une autorisation spéciale.

La présente ordonnance entre en vigueur dès sa publication.

Der Militärbefehlshaber
in Frankreich.

~~~

Première ordonnance du 30 mars 1942 portant modification à l'ordonnance du 13 mars 1941 concernant la circulation et le roulage dans le territoire occupé de la France.

Le Journal officiel contenant les ordonnances du Militärbefehlshaber in Frankreich publie l'ordonnance suivante :

En vertu des pleins pouvoirs qui m'ont été conférés par le Führer und Oberster Befehlshaber der Wehrmacht, j'ordonne ce qui suit :

Paragraphe 1

1ᵉ Concernant le § 6 :
Les numéros 3 et 4 de l'alinéa (1) sont abrogés.

2ᵉ Concernant le § 10 :

(a) Le titre « A. Dispositions générales » est biffé.

(b) La partie « B. Droit de priorité des troupes allemandes d'occupation » est abrogée.

Paragraphe 2

La présente ordonnance entre en vigueur le 20 avril 1942.

Der Militärbefehlshaber
in Frankreich.

Fuente: A.M.A.E., R., leg. 1.716

Anejo despacho Nº 408 de 3-6-1942.

LE MIEUX INFORMÉ DES JOURNAUX FRANÇAIS

MERCREDI 3 JUIN 1942

LES JUIFS DÉFILENT
dans les commissariats
où ils reçoivent
l'étoile jaune

2 juin 1942 : premier jour de la remise aux Juifs du signe distinctif qu'ils devront porter désormais : l'étoile à six branches, imprimée sur un carré d'étoffe jaune.

Hier, les Juifs de Paris, dont les noms commencent par A et par B, tous les Aron et les Blum, les Bloch, les Bronstein et les Abramovitch se pressaient, dès l'ouverture des commissariats, pour ne pas rater la distribution.

— *Signez là*, leur disait l'inspecteur chargé de la répartition. *Vous avez droit à trois insignes par personne. Donnez-moi un point de votre carte de textile.*

— *Hein ? Il faut que je vous donne quelque chose, moi ?*

Ceux qui protestaient le plus fort c'étaient ceux que nous appelions les « gros juifs », les exbanquiers, ex-boursiers plutôt. Ce point de textile dont on amputait leur carte c'était vraiment comme si on leur arrachait un dividende sans verser de provision...

Le ghetto grouillait de son animation coutumière. La nouvelle était commentée dans de nombreux entretiens qui duraient, sans doute, depuis la veille, mais le spectacle n'était pas là. Il fallait gagner les quartiers chic, Auteuil, Passy, la Muette, où Israël se pavanait en pays conquis.

Et Blumenfeld, autrefois habile financier, disait, tout en serrant ses carrés d'étoffe jaune :

— *Je n'ai pourtant pas l'air d'un juif !*

Il portera, comme tous les autres Juifs, solidement cousu sur la poitrine, le signe distinctif de la race. La race qui se disait élue parce qu'elle voulait rester particulière, cette race dont Israël se montrait si orgueilleux, alors qu'elle présidait aux destinées de la France.

Fuente: A.M.A.E., R., leg. 1.716

161

A partir du 7 juin, les Juifs porteront
UN INSIGNE DISTINCTIF

Le journal officiel contenant les ordonnances du Militaerbefehlshaber in Frankreich publie l'ordonnance ci-après :

En vertu des pleins pouvoirs qui m'ont été conférés par le Fuehrer und Oberster Befehlshaber der Wehrmacht, j'ordonne ce qui suit :

1) Il est interdit aux juifs, dès l'âge de six ans révolus, de paraître en public sans porter l'étoile juive.

2) L'étoile juive est une étoile à six pointes ayant les dimensions de la paume d'une main et les contours noirs. Elle est en tissu jaune et porte, en caractères noirs, l'inscription « Juif ». Elle devra être portée bien visiblement sur le côté gauche de la poitrine, solidement cousue sur le vêtement.

Les infractions à la présente ordonnance seront punies d'emprisonnement et d'amende ou d'une de ces deux peines. Des mesures de police, telles que l'internement dans un camp de juifs, pourront s'ajouter ou être substituées à ces peines.

La présente ordonnance entrera en vigueur le 7 juin 1942.

Der Militaerbefehlshaber in Frankreich.

à la date prescrite s'exposera aux peines prévues par l'ordonnance.

Tous les juifs visés par la mesure devront, en effet, être munis de leur insigne le 6 juin au plus tard.

AVIS

Les juifs soumis à l'obligation de porter un signe distinctif en vertu de la 8e ordonnance du 29 mai 1942 sur les mesures prises contre les juifs devront se présenter au commissariat de police ou à la sous-préfecture de leur domicile pour y recevoir les insignes en forme d'étoile prévus au paragraphe premier de ladite ordonnance. Chaque juif recevra trois insignes et devra donner en échange un point de sa carte de textile.

Le chef supérieur de la police et des S. S. dépendant du Militaerbefehlshaber en France.

Les modalités du retrait
de l'insigne spécial des Juifs

La préfecture de police communique :

En vue de se conformer à la huitième ordonnance de l'autorité d'occupation en date du 29 mai 1942, qui entre en vigueur le 7 juin, les juifs hommes et femmes astreints au port de l'insigne spécial devront le retirer obligatoirement au commissariat de leur quartier ou de leur arrondissement aux dates et dans l'ordre ci-après :

Juifs dont les noms commencent par les lettres ci-après :

A ou B : mardi 2 juin ; C à G inclus : mercredi 3 juin ; H à L : jeudi 4 juin ; M à R : vendredi 5 juin ; S à Z : samedi 6 juin.

Ils devront être porteurs de leur carte d'identité et de leur carte de textile.

Fuente: A.M.A.E., R., leg. 1.716

520

15 Julio 42

NEUVIÈME ORDONNANCE
du 8 juillet 1942
concernant les mesures
contre les Juifs

Le « Journal officiel » contenant les ordonnances du Militaerbefehlshaber in Frankreich publie le texte suivant :

En vertu des pleins pouvoirs qui m'ont été conférés par le Fuehrer und Oberster Befehlshaber de Wehrmacht, j'ordonne ce qui suit :

1. — INTERDICTION DE FREQUENTER DES ETABLISSEMENTS DE SPECTACLE ET AUTRES ETABLISSEMENTS OUVERTS AU PUBLIC.

Il peut être interdit aux Juifs de fréquenter certains établissements de spectacle et en général des établissements ouverts au public.

Les prescriptions relatives à la désignation de ces établissements seront fixées par le Hoherer SS- und Polizeifuehrer.

2. — RESTRICTIONS POUR LES VISITES DE MAISONS DE COMMERCE.

Les Juifs ne pourront entrer dans les grands magasins, les magasins de détail et artisanaux ou y faire leurs achats ou les faire faire par d'autres personnes que de 15 heures à 16 heures.

3. — EXCEPTIONS

Les entreprises juives spécialement désignées comme telles sont exceptées de l'interdiction des paragraphes 1 et 2.

4. - DISPOSITIONS PENALES

Les infractions à la présente ordonnance ou aux dispositions qui seront prises pour son application seront punies d'emprisonnement et d'amende ou d'une de ces peines.

5. — MESURES DE POLICE

Des mesures de police, particulièrement l'internement dans un camp de Juifs, pourront s'ajouter ou être substituées à ces peines.

6. — ENTREE EN VIGUEUR

La présente ordonnance entre en vigueur dès sa publication.

DER MILITAERBEFEHLSHABER IN FRANKREICH.

Fuente: A.M.A.E., R., leg. 1.716

163

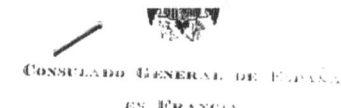

514

13 Julio 1942

AVIS

Après avoir observé l'attitude de la population française en zone occupée, j'ai constaté que la majorité de la population continuait à travailler dans le calme. On désapprouve les attentats et les actes de sabotage, etc., tramés par les Anglais et les Soviets et dirigés contre l'armée d'occupation et l'on sait que c'est uniquement la vie paisible de la population civile française qui en subirait les conséquences.

Je suis résolu à garantir d'une façon absolue, en pleine guerre, à la population française, la continuation de son travail dans le calme et la sécurité.

Mais j'ai constaté que ce sont surtout les proches parents des auteurs d'attentats, des saboteurs et des fauteurs de troubles qui les ont aidés avant ou après le forfait. Je me suis donc décidé à frapper des peines les plus sévères non seulement les auteurs d'attentats, les saboteurs et les fauteurs de troubles, même une fois arrêtés, mais aussi en cas de fuite, aussitôt les noms des fuyards connus, les familles de ces criminels s'ils ne se présentent pas, dans les dix jours après le forfait, à un service de police allemand ou français.

Par conséquent, j'annonce les peines suivantes :

1º Tous les proches parents masculins en ligne ascendante, ainsi que les beaux-frères ou cousins à partir de 18 ans seront fusillés ;

2º Toutes les femmes au même degré de parenté seront condamnées aux travaux forcés ;

3º Tous les enfants jusqu'à 17 ans révolus des hommes et des femmes frappés de ces mesures, seront remis à une maison d'éducation surveillée.

Donc, je fais appel à tous pour empêcher, selon leurs moyens, les attentats, les sabotages et le trouble et pour donner même la moindre indication utile aux autorités de la police allemande ou française, afin d'appréhender les criminels.

Paris, 10 juillet 1942.

Fuente: A.M.A.E., R., leg. 1.716

ENERAL DE ESPAÑA

FRANCIA

———

Anejo al .... nº 520 ...

Paris 15 Julio 42

AVIS

En vertu du premier paragraphe de la 9ᵉ ordonnance du 8 juillet 1942 édictant des mesures à l'égard des juifs, il est interdit aux juifs de fréquenter tous les établissements publics et d'assister aux manifestations publiques dont la liste suit. Cette mesure entre en vigueur immédiatement.

1° Restaurants et lieux de dégustation de toute sorte ;
2° Cafés, salons de thé et bars ;
3° Théâtres ;
4° Cinémas ;
5° Concerts ;
6° Music-halls et autres lieux de plaisir ;
7° Cabines de téléphone publiques ;
8° Marchés et foires ;
9° Piscines et plages ;
10° Musées ;
11° Bibliothèques ;
12° Expositions publiques ;
13° Châteaux-forts, châteaux historiques, ainsi que tous autres monuments présentant un caractère historique ;
14° Manifestations sportives, soit comme participants, soit comme spectateurs ;
15° Champs de courses et locaux de pari mutuel ;
16° Lieux de camping ;
17° Parcs.

Der Höhere SS- und Polizeiführer
im Bereich des Militärbefehlshabers in Frankreich.

Fuente: A.M.A.E., R., leg. 1.716

L'EXCLUSION DE L'INFLUENCE JUIVE dans l'économie française SE POURSUIT

en zone non occupée comme en zone occupée

où 25 % des entreprises juives ont été aryanisées

Le nombre des entreprises juives était originairement évalué à 12.000 dans la zone occupée; cependant, 31.600 affaires ont été mises jusqu'à présent sous administration provisoire dans cette partie du pays: 24.914 à Paris et 6.785 en province. Pour 2.158 entreprises, il est vrai de moindre importance, les nominations sont en cours. Quant à 600 autres maisons, la question de savoir si elles sont, ou non, soumises à l'influence juive est encore à l'étude.

Les premières aryanisations furent réalisées dès le mois d'octobre 1941. Depuis ont été vendus: à Paris 2.962, en province 1.071 entreprises et participations et 296 immeubles à des acquéreurs qui n'étaient pas toujours des personnes physiques, mais des sociétés d'assurances et d'autres.

Parmi les acheteurs figurent également l'État français, les collectivités secondaires et la S.N.C.F.

Par ailleurs, il a été procédé à la liquidation de 1.678 entreprises à Paris et de 1.114 en province.

En conséquence, l'aryanisation est achevée dans 7.063 cas, ce qui équivaut à presque 25 % de la participation juive dans la vie économique de la zone occupée.

Ces résultats ont pu être obtenus grâce à l'intime collaboration des autorités françaises et allemandes et au dévouement qu'ont apporté les fonctionnaires dans l'accomplissement de leur tâche.

De leur côté, les pays alliés, amis et neutres se sont associés à cette œuvre en choisissant parmi leurs ressortissants des administrateurs provisoires auxquels furent confiées les entreprises juives de leur nationalité.

Au delà de la ligne de démarcation, environ 3.000 entreprises ont été pourvues d'administrateurs provisoires et 450 aryanisées. Le règlement définitif de la question dans cette partie de la France constitue, comme en zone occupée, le but essentiel et véritablement européen du nouveau commissaire général aux questions juives, M. Darquier de Pellepoix.

Grâce aux liquidations l'économie française se trouve débarrassée de nombreuses entreprises non viables qui, en temps de paix, pouvaient assurer l'existence de leurs propriétaires en travaillant au rabais, mais qui, en temps de guerre, étaient vouées au trafic du marché noir, portant de ce fait un préjudice considérable aux affaires saines. Au

Fuente: A.M.A.E., R., leg. 1.716

166

31.699 affaires juives en zone occupée ont été "aryanisées"

M. Darquier de Pellepoix s'efforce énergiquement d'activer les opérations dans l'autre zone

Dans la zone occupée, 31.699 affaires juives ont été mises jusqu'à présent sous administration provisoire. 24.914 à Paris et 6.785 en province. Pour 2.158 autres entreprises, les nominations sont en cours et, pour 600 autres, la question de savoir si elles sont ou non soumises à l'influence juive est à l'étude.

Les premières aryanisations furent réalisées dès le mois d'octobre 1941. Depuis ont été vendues : à Paris, 2.982, en province, 1.071 entreprises et participations et 298 immeubles à des acquéreurs qui n'étaient pas toujours des personnes physiques mais des sociétés d'assurances et autres. Parmi les acheteurs figurent également l'Etat français, les collectivités secondaires et la S. N. C. F.

Par ailleurs, il a été procédé à la liquidation de 1.678 entreprises à Paris et de 1.114 en province.

Au delà de la ligne de démarcation, environ 3.000 entreprises ont été pourvues d'administrateurs provisoires et 450 aryanisées. Le règlement définitif de la question dans cette partie de la France constitue, comme en zone occupée, le but essentiel et véritablement européen du nouveau commissaire général aux questions juives,

Fuente: A.M.A.E., R., leg. 1.716

EN FRANCE

L'épiscopat et les mesures prises contre les Juifs

Lettre de Son Eminence le cardinal Gerlier, archevêque de Lyon :

L'exécution des mesures de déportation qui se poursuivent actuellement contre les juifs donne lieu sur tout le territoire à des scènes si douloureuses que nous avons l'impérieux et pénible devoir d'élever la protestation de notre conscience. Nous assistons à une dispersion cruelle des familles où rien n'est épargné, ni l'âge, ni la faiblesse, ni la maladie. Le cœur se serre à la pensée des traitements subis par des milliers d'êtres humains et plus encore en songeant à ceux qu'on peut prévoir.

Nous n'oublions pas qu'il y a pour l'autorité française un problème à résoudre, et nous mesurons les difficultés auxquelles doit faire face le Gouvernement.

Mais qui voudrait reprocher à l'Eglise d'affirmer hautement, en cette heure sombre et en présence de ce qui nous est imposé, les droits imprescriptibles de la personne humaine, le caractère sacré des liens familiaux, l'inviolabilité du droit d'asile et les exigences impérieuses de cette charité fraternelle dont le Christ a fait la marque distinctive de ses disciples. C'est l'honneur de la civilisation chrétienne et ce qui doit être l'honneur de la France, de ne jamais abandonner de tels principes.

Ce n'est pas sur la violence et la haine qu'on pourra bâtir l'ordre nouveau. On ne le construira, et la Paix avec lui, que dans le respect de la justice, dans l'union bienfaisante des esprits et des cœurs, à laquelle nous convie la grande voix du Maréchal, et où refleurira le séculaire prestige de notre patrie.

Daigne Notre-Dame de Fourvière nous aider à en hâter le retour !

       † Pierre-Marie Cardinal Gerlier,
         Archevêque de Lyon.

            *

Lettre de Mgr l'Evêque de Montauban :

Mes bien chers frères,

Des scènes douloureuses et parfois horribles se déroulent en France, sans que la France soit responsable.

A Paris, par des dizaines de milliers, des juifs ont été traités avec la plus barbare sauvagerie. Et voici que dans nos régions on assiste à un spectacle navrant : des familles sont disloquées ; des hommes et des femmes sont traités comme un vil troupeau, et envoyés vers une destination inconnue, avec la perspective des plus graves dangers.

Je fais entendre la protestation indignée de la conscience chrétienne et je proclame que tous les hommes aryens ou non-aryens sont frères parce que créés par le même Dieu ; que tous les hommes quelles que soient leur race ou leur religion, ont droit au respect des individus et des Etats.

Or, les mesures antisémites actuelles sont un mépris de la dignité humaine, une violation des droits les plus sacrés de la personne et de la famille.

Que Dieu console et fortifie ceux qui sont indignement persécutés ! Qu'il accorde au monde la paix véritable et durable fondée sur la justice et la charité !

      † Pierre-Marie, évêque de Montauban.

Fuente: A.M.A.E., R., leg. 1.716

6.5. Imágenes

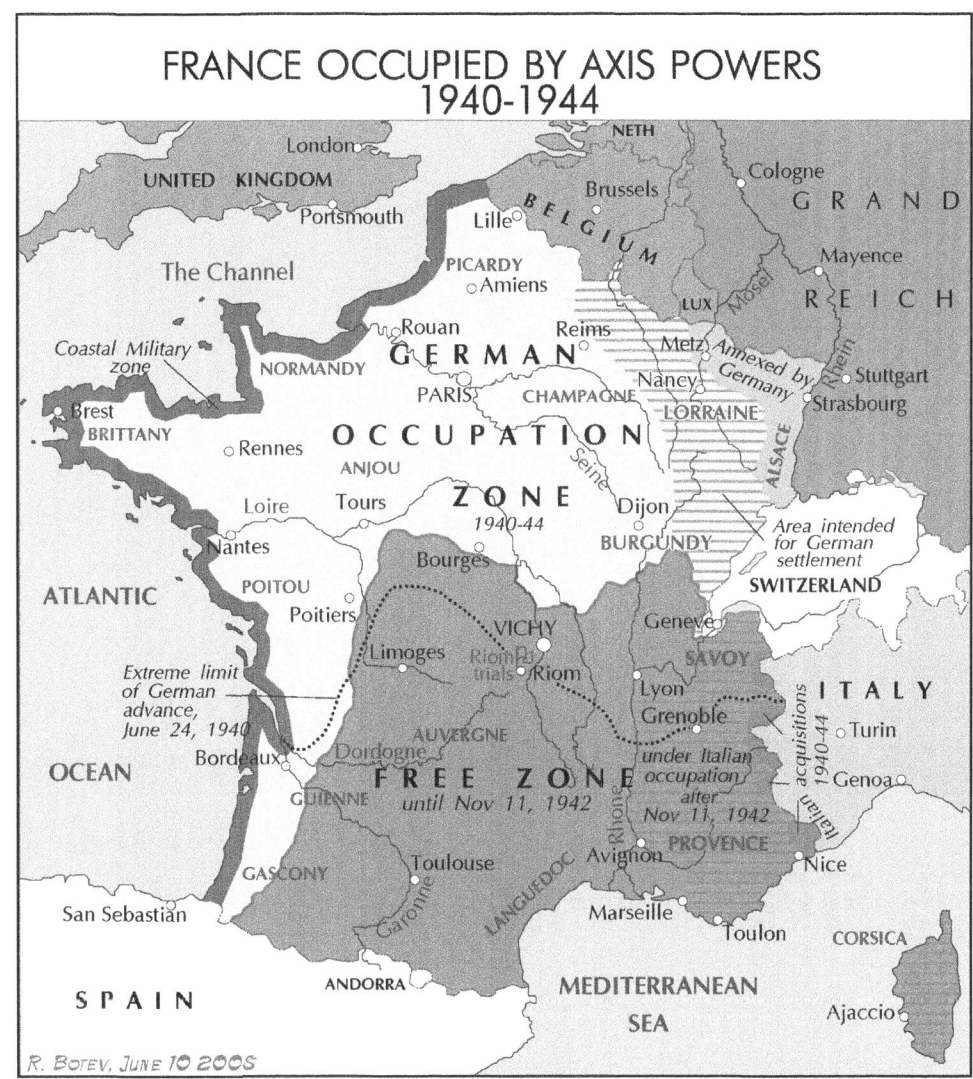

Ocupación de Francia
Fuente: https://en.wikipedia.org/wiki/Demarcation_line_(France)

Cartel anunciador de la exposición Le Juif et la France
(París, septiembre, 1941)
Fuente: Catálogo exposición Visados para la Libertad

Llegada de judíos al campo de Drancy, agosto 1941
Fuente: http://www.lasegundaguerra.com/viewtopic.php?f=259

Campo de Drancy (Francia)
Fuente: https://en.wikipedia.org/wiki/Vel%27_d%27Hiv_Roundup

Campos de internamiento en Francia
Fuente: https://en.wikipedia.org/wiki/Internment_camps_in_France#World_
War_II_camps

Campos de internamiento en Francia
Fuente: https://en.wikipedia.org/wiki/Internment_camps_in_France#World_
War_II_camps

Judíos deportados
Fuente: https://en.wikipedia.org/wiki/Schutzstaffel

Deportación de judíos de Francia
Fuente: United States Holocaust Memorial Museum, por cortesía de Serge

Mujeres judías en un mercado de París
Fuente: https://de.wikipedia.org/wiki/Judenstern

Mujeres judías prisioneras
Fuente: https://en.wikipedia.org/wiki/Polish_contribution_to_World_War_II

Mujeres judías con la estrella amarilla
Fuente: http://es.wikipedia.org/wiki/Redada_del_Vel%C3%B3dromo_
de_Invierno

A Sr Don Bernardo Rolland en agradecimiento por todo lo que hizo en pro de los sefardíes españoles, como Cónsul general en Paris durante la guerra

Paris 25/v/57

Fuente: LISBONA, J.A.: Más allá del deber. La respuesta humanitaria del Servicio Exterior frente al Holocausto…, p. 286.

Sellos emitidos por Israel en homenaje al Cónsul Bernardo Rolland
Fuente:https://www.google.es/search?q=fotos++judios+sefardies+-de+paris,+1943

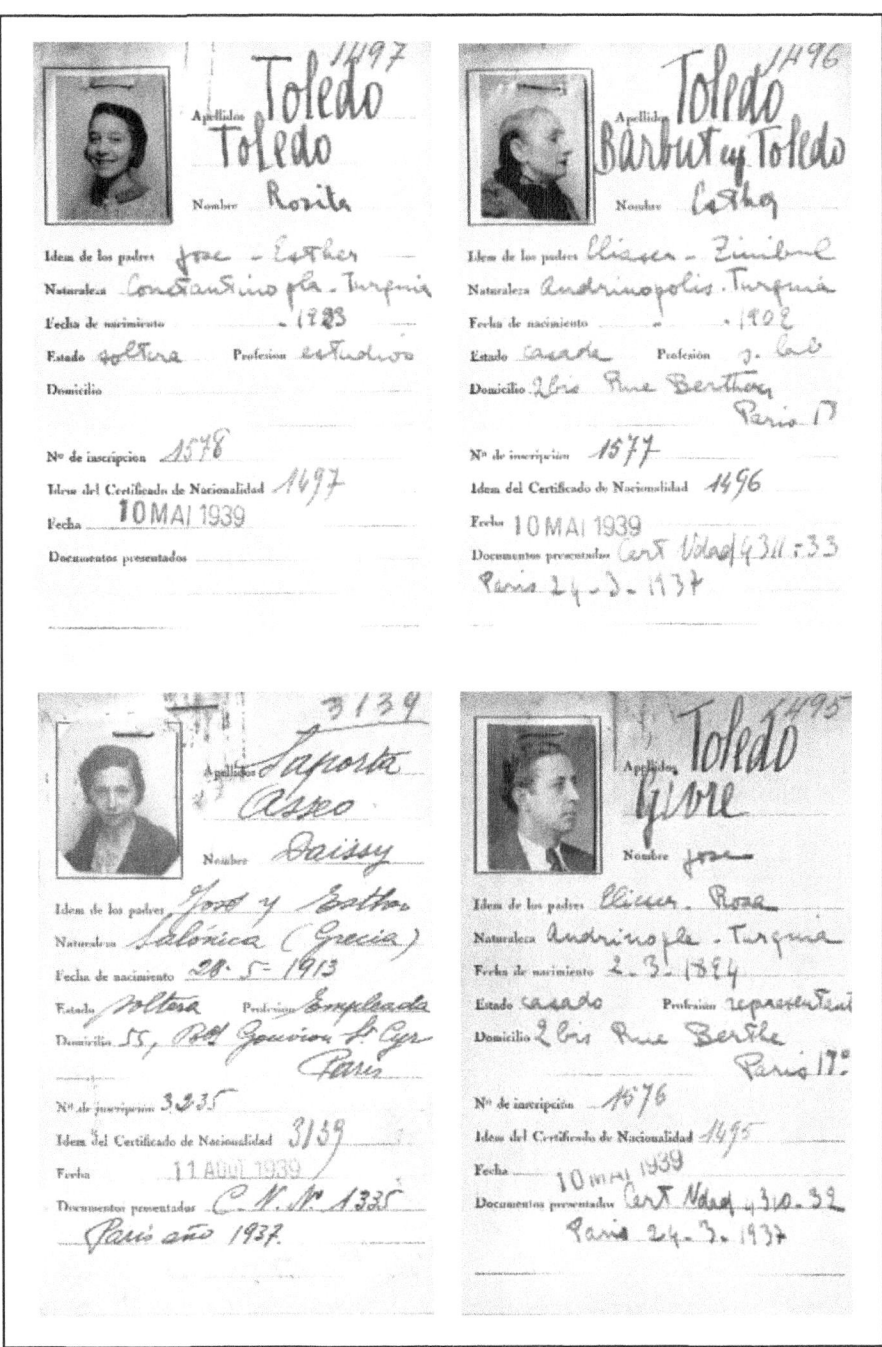

Fichas de inscripción de la familia Toledo en el Consulado de España en París (1939), incluidas en el dossier presentado por Alain de Toledo. **Fuente:** Catálogo exposición Visados para la Libertad

C-B
APELLIDOS   CARASSO   MUSSAPA

NOMBRE   Daniel

NATURALEZA   Salonica   GRECIA

FECHA NACIMIENTO   16-12-19o5

ESTADO   slo   PROFESION   comercio

DOMICILIO 24,rue Barbet de Jouy- Paris

INSCRIPCION Nº   3377   FECHA 28-8-I939

RoMEo I3.96O-IO-49

Ficha de inscripción
Fuente: Consulado General de España en París

Daniel Carasso, fundador de Danone
Fuente: http://esefarad.com/?p=3630

SALTIEL SUR LES FICHERS DU CONSULAT: SELON ALFONSO- 21/10/2014
DATE DU FICHIER DU CONSULAT : ???

LIEN	NOM DE FAMILLE	NOM DU CONJOINT	PRENOM	N° DE FICHE	PÈRE	MÈRE	DATE DE NAISSANCE	LIEU DE NAISSANCE	ETAT CIVIL	PROFESSION	ADRESSE	STATUT	fecha inscripción ciudadanía	
famille de René Saltiel / Lecoq														
père	SALTIEL SALEM		ALBERTO	4930			19/9/1883	Salonique/Grèce	marié		11 rue Hauteville-Paris 10e	protegido	24/09/1938	447 915
mère	ERRERA VARSANO	veuve SALTIEL	SARA	4931			13/9/1893	Salonique/Grèce	casada	sp	11 rue Hauteville-Paris-10e	procegido	07/10/1936	447 915
fille	SALTIEL ERRERA		JENNY	4933	Alberto Saltiel	Sara Errera	11/10/1919	Constantinople/Turquie	soltera	empleada	11 rue Hauteville-Paris-10e	procegido	04/07/1936	
fils	SALTIEL ERRERA		LEON/RENE	4937	Alberto Saltiel	Sara Errera	19/04/1921	Constantinople/Turquie	soltero		11 rue Hauteville-Paris-10e	protegido	10/12/1934	
fils	SALTIEL ERRERA		JOSE GEORGES	15813	Alberto Saltiel	Sara Errera	13/05/1926	Leeds/Angleterre	soltero	estudiante	11 rue Hauteville-Paris -10e	CN 341	24/12/1932 Paris	
famille de Bernard Saltiel (Mezraflla) : grand oncle														
	SALTIEL HAZAN		MAURICE		Bernico Saltiel	Vida Hazan	24/6/1886	Salonique		empleado d'assurance	2 rue Chauchat, Paris 9e	CN 3602	1930 Paris	56 515
	SALTIEL HAZAN		GASTON	3602	Bernico Saltiel	Vida Hazan	1/6/1888	Salonique	soltero	dentista	85 Rue d'Hauteville- Paris			57 516
	SALTIEL HAZAN	SALTIEL Isaac	RITA		Bernico Saltiel	Vida Hazan	21/7/1889	Salonique						76 515
famille de Philippe Saltiel (Lecanuet/Azier) : oncle														
	SALTIEL										87 rue...	CN... Constantinople	25/01/19..	432
famille de l'historicienne Rena Molho (Renta)														
	SALTIEL ABRAVANEL SAPORTA PEREZ Rafael		ILDA	65258	Joseph Saltiel	Stella Abravanel	17/11/1920	Salonique/Grecia	casada	SP	5 rue st Cristophe Paris 15e	CN 12013	24/12/1955	
familles à trouver														
	SALTIEL SIDI		MAURICIO	44481	Emmanuel Saltiel	Sara Sidi	23/01/1914	Sofia/Bulgaria	soltero	representanta	41 rue d'Aboukir, Paris	CN 942 Marseille	22/02/1943	
	SALTIEL SIDI		LAURA	55935	Manuel Saltiel	Sarna Sidi	12/09/1925	Djoumaja/Bulgaria	soltera	estudiante	65 rue d'Aboukir, Paris 17e		19/09/1939 Paris 1998	
padre	BENADON HANEN	SAUL DAVID		4248			7/7/1873	Salonique/Grèce	marié	au foyer	45 Rue Rochechouart, Paris	CN3912		
madre	SALTIEL BENVENISTE	BENADON	DELICIA ou FELICIA	4249	Salomon Saltiel	Lucia Benveniste	1886 1890	Salonique/Grèce	mariée		75 Bd Rochechouart, Paris 9e		20/09/1939	
fils	BENADON SALTIEL		DAVID	4303			10/08/1909		soltero	comerciante	75 rue Rochechouart,Paris	CN 457	16/05/1940	
fils	BENADON SALTIEL		HUGO	4304			20/01/1911		soltero	empleado	75 rue Rochechouart,Paris			
	SALTIEL	Veuve MALLAH	DORA	43846	MOISE	TAMAR	7/3/1886	Salonique/Grèce	viuda		2 rue Felix Faure, Paris	CN 9481	21/10/1933	
	SALTIEL SALEM		VICTOR SHEMTOV	47920	SAMUEL	MATILDE	3/N/1899	Salonique	Soltero	empleado	130 Bd Malesherbes Paris 7e / 46 rue Wisuthier/St Germain en Laye	CN 21	09/03/1943 Istambul	

EN BLEU : infos provenant d'autres sources

CN = CERTIFICADO DE NACIONALIDAD

Fuente: Beatriz Saltiel

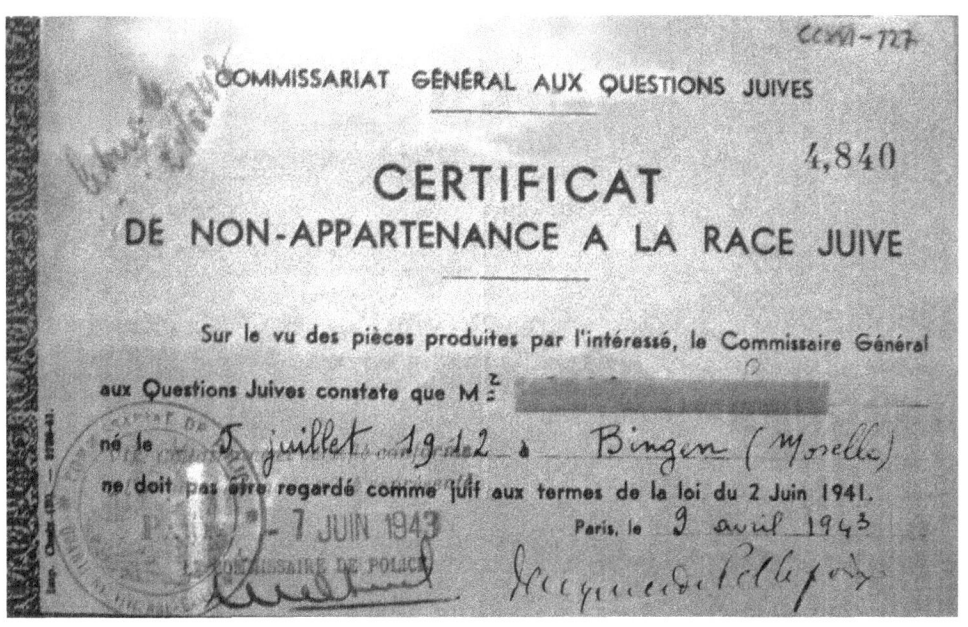

Certificado de no pertenencia a la raza judía
Fuente: https://commons.wikimedia.org/wiki/File:Certificat_de_non_appar-tenance_%C3%A0_la_race_juive.jpg

6.6. Reproducción facsimilar de documentos

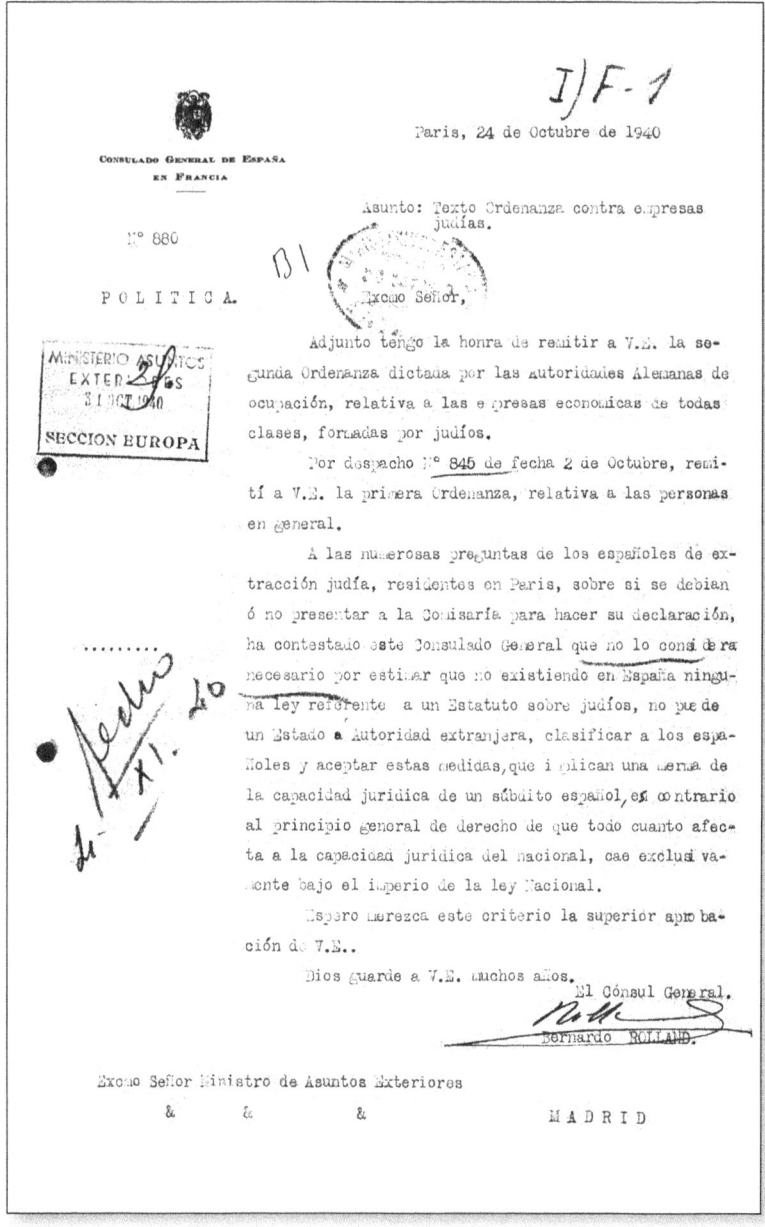

Fuente: A.M.A.E., R., leg. 1.716: Despacho dirigido por el Cónsul General de España en París al Ministro de Asuntos Exteriores, París, 24 de octubre de 1940.

CONSULADO GENERAL DE ESPAÑA
EN FRANCIA

Nº 1628

Le Consul Général d' Espagne en France
considère que les Ordonnances promulguées
par l' Administration Militaire Allemande
en France en date du 27 Septembre et du 18
Octobre ne touchent pas les sujets espagnols d'extraction israélite.

En foi de quoi et à toutes fins utiles
il délivré le présent à la demande de M.
Alberto NAAR CASTRO

Fait à Paris le 28 Octobre 1940

LE CONSUL GENERAL

Eduardo ROLLAND

Fuente: A.M.A.E., R., leg. 1.716: Despacho dirigido por el Cónsul General de España en París al Ministro de Asuntos Exteriores, París, 28 de octubre de 1940.

187

DOC. LII

CONSULADO GENERAL DE ESPAÑA
EN FRANCIA

N° 44
　　　　　　　Le Consul Général d'Espagne en France,--------

CERTIFIE : Que le ressortissant espagnol, Mr Elias
CANETTI ROSALES, domicilié à SURESNES (Seine) 24 rue
de la Cerisaie et inscrit dans le Registre des sujets
espagnols de cette Chancellerie sous le n° 3.515/3422,
d'après l'acte de constitution de la Société à responsabilité limitée " LA PILE AGLO " en date du 2 Juillet
1934, dont le siège social est à SURESNES, 36-40 rue
Carnot, est propriétaire de CENT PARTS sur deux cents
(soit 50 %) de la dite Société.--------------------

　　　　　En foi de quoi, et à toutes fins utiles il délivre le présent à Paris, le 16 Janvier 1941.----------

　　　　　　　　　　　　　Le Consul Général.

　　　　　　　　　　　　　　　Bernardo ROLLAND

Fuente: A.M.A.E., R., leg. 1.716: Certificado del Cónsul Bernardo Rolland a nombre de Elías Canetti. París, 16 de enero de 1941.

Fuente: A.M.A.E., R., leg. 1.716: Telegrama dirigido por la Embajada de España en París al Ministro de Asuntos Exteriores, París, 3 de mayo de 1941.

CONSULADO GENERAL DE ESPAÑA
EN FRANCIA

Paris, 29 de Septiembre de 1941.

Excmo Señor Don Ramón SERRANO SUÑER
Ministro de Asuntos Exteriores.
M A D R I D .-

Mi respetado Jefe.

Me permito presentarle á los sefarditas españoles,
Señores Don Nici Alberto SAPORTA y BEJA, Don Enrique SAPOR-
TA y BEJA, Don Alberto NAHUM y CARASSO, Don Ricardo SABACEK
y BITTI y Don Edgardo HASSID y FERNANDEZ, que componen la
Comisión que se traslada a esa Capital, al objeto de darle
cuenta y exponerle la situación de la colonia israelita española, en la zona ocupada de Francia, en relación con las
disposiciones adoptadas por las Autoridades Alemanas y Francesas.

Queda siempre á sus órdenes, suyo affmo y subordinado

Bernardo ROLLAND,
Consul General.

Fuente: A.M.A.E., R., leg. 1.716: Despacho dirigido por el Cónsul General Bernardo Rolland al Ministro de Asuntos Exteriores, París, 29 de septiembre de 1941.

PREFECTURE DE POLICE   Paris.   - 5 NOV 1941

                                                    1.

                    Direction
          des Affaires Administratives
              de Police Générale
          - - - - - - - - - - - - - - - -

              Le Nè. *de TOLEDO* *Aron*

          né le *17.9.1910* à *Andrinople*

          . . . .

          de nationalité . . . .

          demeurant . . . .

                          à *Paris 11*

          a été libéré, ce jour, du Camp de Drancy

          pour raisons de santé.

                          Le Commandant du Camp

Fuente: Prefectura de Policía de París, París, 5 de noviembre de 1941.
Certificado incluido en el Dossier presentado por la Fundación Raoul
Wallenberg al Yad Vashem de Jerusalem.

191

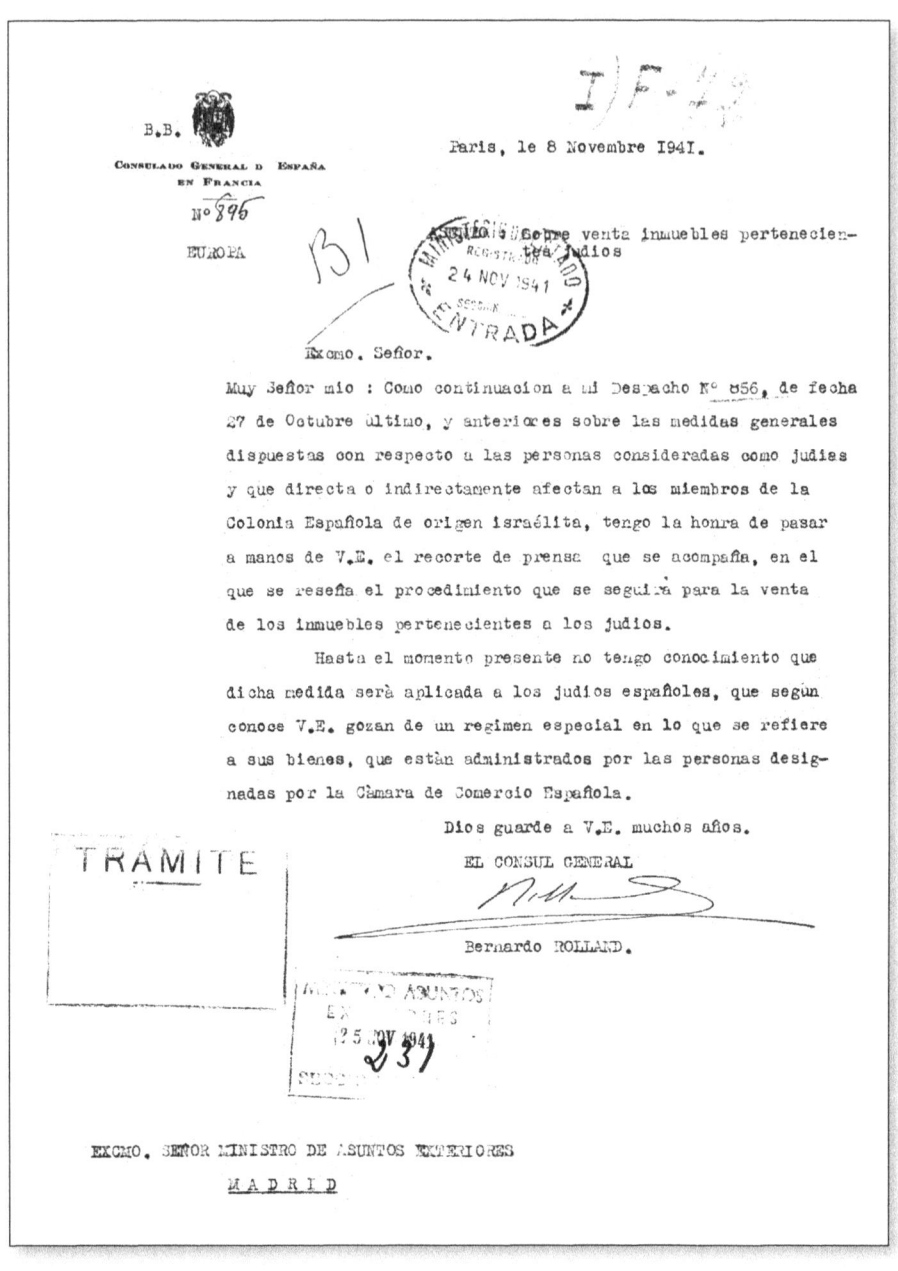

B.B.

Consulado General d España
en Francia

Nº 896

EUROPA

Paris, le 8 Novembre 1941.

Asunto: Sobre venta inmuebles pertenecientes judios

Excmo. Señor.

Muy Señor mio : Como continuacion a mi Despacho Nº 856, de fecha 27 de Octubre último, y anteriores sobre las medidas generales dispuestas con respecto a las personas consideradas como judias y que directa o indirectamente afectan a los miembros de la Colonia Española de origen israélita, tengo la honra de pasar a manos de V.E. el recorte de prensa que se acompaña, en el que se reseña el procedimiento que se seguirá para la venta de los inmuebles pertenecientes a los judios.

Hasta el momento presente no tengo conocimiento que dicha medida será aplicada a los judios españoles, que según conoce V.E. gozan de un regimen especial en lo que se refiere a sus bienes, que están administrados por las personas designadas por la Cámara de Comercio Española.

Dios guarde a V.E. muchos años.

EL CONSUL GENERAL

Bernardo ROLLAND.

TRAMITE

EXCMO. SEÑOR MINISTRO DE ASUNTOS EXTERIORES

MADRID

Fuente: A.M.A.E., R., leg. 1.716: Despacho dirigido por el Cónsul General Bernardo Rolland al Ministro de Asuntos Exteriores, París, 8 de noviembre de 1941.

Vichy, 2 de diciembre de 1941.

Embajada de España
en
París

C.7

Nº 688

ASUNTOS GENERALES

ASUNTO: Remite "Journal Officiel" conteniendo textos de ley de 17 de noviembre relativa al estatuto de los judíos.

Excmo. Señor:

En adición a correspondencia anterior sobre el particular, adjunto me permito remitir a V.E. los textos de la Ley de 17 de Noviembre y 29 del mismo mes relativa al estatuto de los judíos. Por la primera se modifica el artículo 5 de la ley de 2 de junio último estableciendo y ampliando las profesiones que les son prohibidas. Por la segunda se establece una Unión general de los israelitas en Francia cuya finalidad es la de dar representación a los judíos ante los poderes públicos particularmente en cuestiones de asistencia y previsión social, quedando esta Unión, de la que todos los judíos domiciliados o residentes en Francia deben formar parte, bajo el control del Gobierno y directamente del Comisario General para las Cuestiones Judías.

Dios guarde a V.E. muchos años.

EL EMBAJADOR DE ESPAÑA:

José F. de LEQUERICA.

EXCMO. SEÑOR MINISTRO DE ASUNTOS EXTERIORES
MADRID

Fuente: A.M.A.E., R., leg 1.716: Despacho dirigido por la Embajada de España en Vichy al Ministro de Asuntos Exteriores, Vichy, 2 de diciembre de 1941.

Fuente: http://inmemorianholocausto.blogspot.com.es/2014/07/richard-frenkel-dos-anos-de-edad.html

MUY PERSONAL

Vichy 4 de febrero de 1942.

Excmo. Señor D. Ramón SERRANO SUÑER
MADRID

Mi querido Jefe y amigo:

El lunes 2, pocas horas antes de salir de París vino a verme el Consejero de la Embajada alemana Sr. Achenbach, para exponerme en nombre de su jefe, el desagrado de la Embajada en París por la conducta del Cónsul de España Sr. Rolland.

Según la Embajada el Sr. Rolland se dirige a ellos en términos poco amistosos; tuvo un incidente desagradable con la secretaria Srta. Stefanski a la que según dicen trató duramente; en reuniones habla del triunfo de Inglaterra criticando a Alemania; e incluso me lo decía Achenbach riéndose un poco pero con seriedad interior en alguna ocasión acusó a los miembros de la representación alemana de utilizar el mercado negro. Era tal la situación en consecuencia que había órdenes terminantes de no invitar a Rolland a la Embajada del Reich ni a las ceremonias alemanas.

En conclusión me rogó muy amablemente indicara a usted los deseos de la Embajada de ver al Sr. Rolland ocupar un cargo tan importante como sus indiscutidos méritos justifican, pero que no sea el Consulado de España en París.

Pensaban me dijo Achenbach formular esta demanda en nota oficial dirigida al Gobierno por mediación del Embajador en Madrid, pero dadas sus relaciones con España les ha parecido más amistoso el procedimiento oficioso. Y además, recalcó mucho, desean evitar al Sr. Rolland cualquier perjuicio en su carrera al quedar constancia oficial, pues le consideran persona correcta y digna de consideración lamentando esta discrepancia.

Poco después vino el Embajador Welzeck, de paso en París, a decirme lo mismo. Creí comprender por cuanto me expuso que su amistad hacia Rolland, antigua y sólida, quizás pesó en la decisión alemana de no hacer la gestión en nota de la Embajada.

Utilizo pues la primera valija para ponerlo reservadamente en su conocimiento. A nadie he dicho nada. Si por supuesto a Rolland sin que usted lo sepa, pues otra cosa sería no cumplir el encargo y crear una complicación de explicaciones y comentarios en París contraria a la intención de los alemanes.

Fuente: A.M.A.E., R., leg. 1.716: Despacho dirigido por la Embajada de España en Vichy al Ministro de Asuntos Exteriores, Vichy, 4 de febrero de 1942.

Es muy poco agradable para mí tener que hacerlo. Rolland me parece un Cónsul excelente, lleno de dignidad, representativo y muy atento a la colonia. De autoridad al puesto; y tanto él como su mujer han sido durante toda la Embajada amigos leales y muy eficaces colaboradores.

¿Que ha podido ocurrir este año y medio de mi ausencia en relación con la Embajada alemana?

Una vez cumplido el encargo con toda reserva ¿le parece a usted conveniente que llame a Rolland a Vichy, le ponga al corriente y vea si es todavía tiempo de buscar en unas explicaciones el arreglo del enojoso asunto? ¿O que yo mismo trate de restablecer en París la armonía de nuestro Consulado y la representación ocupante?

Usted conoce la psicología alemana y la situación de conjunto. Y sobre todo usted manda y espero órdenes.

Escribo a mano haciendo un supremo esfuerzo caligráfico dentro de mis medios, por la extremada delicadeza del asunto.

Sin más ya sabe es suyo subordinado y amigo muy sincero que con todo afecto le saluda,

y e.s.m.

FK/CL

Madrid, 7 de Marzo de 1942

EUROPA   115
I F-42

Iltmo. señor:

ASUNTO: sefarditas espa-
ñoles en Francia.

Se ha recibido en este Ministerio la visita del
Sr. Montealegre, Secretario de la Cámara de Comercio
en esta capital, que ha venido a exponer la difícil
situación en que se encuentran los súbditos españoles de origen sefardita residentes en Francia,
asunto del que ya se tenía conocimiento por diferentes Despachos de la Embajada y de ese Consulado
General.

Al hecho de que el Gobierno español no ponga dificultades para que dichos súbditos se sometan a
ciertas medidas como las que han sido objeto de más
de una comunicación de V.S.I., no significa que se
hayan de dejar sin el debido amparo los derechos de
cada uno de ellos, dentro de lo establecido en el
Acuerdo hispano-francés de 1862.

En vista de lo anteriormente expuesto, de orden
comunicada por el señor Ministro de Asuntos Exteriores, deberá V.S.I.,dentro de las normas e instrucciones que ya ha recibido, defender los intereses
de los súbditos españoles de origen sefardita,exi-
giendo a las Autoridades francesas el cumplimiento
del citado Acuerdo.

Dios guarde a V.S.I. muchos años.
EL SUBSECRETARIO INT°

Señor Cónsul General de España en París.-

Fuente: A.M.A.E., R., leg. 1.716: Oficio dirigido por el Subsecretario interino del Ministerio de Asuntos Exteriores al Cónsul General de España en París, Madrid, 7 de marzo de 1942.

197

Compiègne, den 1... ... 1942

AUSWEIS.

Herr d e   T o l é d o ,   Nissim   No.3363

geb. am 1. 1. 1904

in Gumulgina / Griechenland   , wohnhaft in Paris 9e

25 Boulevard Rochechouart   , wurde am 14. 3. 42

aus dem Interniertenlager Compiègne entlassen.

Bezugsverfügung : Anordnung vom Kommandanten von Gross-Paris v.12.3.42

de Toléda hat sich als spanischer Staatsangehöriger ausgewiesen

Bemerkungen : Meldung beim Kommandanten von Gross-Paris und
auf dem spanischen Konsulat.

war vom 13.12.bis zum 14.3.42 im Lager

Eswird gebeten ihn ungehindert reisen zu lassen.

Oberstleutnant und Kommandant

Fuente: Dossier de Daniel Rainer. Campo de detención de Compiègne, 14 de marzo de 1942. Certificado incluido en el Dossier presentado por la Fundación Raoul Wallenberg al Yad Vashem de Jerusalem.

Nota núm. 1.653. -

Procedencia: Agente Policial. -

Asunto: Relación del Cónsul español de París con las Autoridades alemanas de ocupación. -

TEXTO:

Nota de 4 de mayo.

El domingo último, me entrevisté con el Jefe de la Policía
alemana en Francia, a requerimiento suyo, para zanjar diversos asuntos relacionados con los refugiados españoles, pero
al acabar éstos, me rogó informara a V.E. de una decisión
que las Autoridades alemanas quieren tomar con nuestro Cónsul General en ésta, D. Bernardo Rolland, y que, por lo visto, desean que la determinación pase desapercibida al gran
público, por nuestro conducto policial y reservado, en vez
de hacer oficialmente la solicitud al Ministerio de Asuntos
Exteriores.

Desean, escueta y simplemente, que el Sr. Rolland sea destinado fuera de Francia, con la mayor urgencia posible y, aunque me dijeron que no podían darme todos los detalles de la
razón que les movía a pedir el traslado de dicho Cónsul General, me dieron a entender que los motivos, entre otros, eran
el haber protegido mucho a los judíos aquí residentes. Pero
me insistieron mucho en que diera parte a V.E. para, como le
indico, que el asunto no trascendiera y que V.E. lo arreglara
confidencialmente en Madrid con el Ministro de Asuntos Exteriores, antes de que ellos se vieran obligados a dar cuenta
a Berlín y, de allí, a Madrid, con el escándalo consiguiente
para el futuro del interesado.

No hago sino transmitirle lo que me dijeron sobre el particular. Ahora bien deseo hacer constar a V.E. que el Cónsul General Sr. Rolland ha tenido, para con este Servicio, toda clase de atenciones y su colaboración nos fué siempre muy eficaz.
Los motivos de la petición que me hacen las Autoridades alemanas, aunque no me las indiquem por completo, yo me las imagino y paso a decírselas a V.E. confidencialmente: En el Consulado General ha habido una serie de elementos, que decían ayudar a los servicios de información del Alto Estado Mayor nuestro y que, protegidos por el representante de dicho Organismo
en ésta, así como el pomposo título de "Consejeros Jurídicos";
han venido haciendo infinidad de negocios particulares, principalmente con judíos, a los que protegían el capital,-la casa,
los coches y, en ocasiones, les facilitaban la huída de esta

Fuente: A.M.A.E., R., leg. 1.716: Informe de la Dirección General de
Seguridad, Madrid, 21 de mayo de 1942.

199

Zona, con dirección a la otra, así como a América, todo ello mediante retribuciones que, muchas veces, pasaron de fabulosas. Me refiero a los DUQUE FERNANDEZ DE PIÑEDO, FRANCISCO MACIAS, y otros que ayudaban a dicho Servicio de Información. Precisamente en estos días preparaba yo un informe sobre el particular que he de elevar a V.E. Cuanto antecede lo realizaron, durante cerca de un año, valiéndose de la bondad reconocida del Cónsul General, extrañándose toda la colonia en ésta que un individuo que estuvo siempre comerciando con los rojos, como DUQUE FERNANDEZ DE PIÑEDO, entrase y saliese en España con la facilidad que lo hace, protegido por algunas personas influyentes de nuestra Península, con las que estaba en contacto, por lo visto, para sus negocios.

Precisamente hace unos dos meses, este DUQUE fué detenido por las Autoridades alemanas en ésta, por esos negocios de "ganster" y sólo fué dejado en libertad por presiones de ésa. Seguramente, durante su detención, dijo muchas cosas a la Policía alemana sobre el Consulado pues es, a partir de entonces, desde cuando ya iniciaron su campaña contra Cónsul. Una de las cosas que viene haciendo, desde antes de la guerra incluso, el repetido DUQUE, es proteger a judíos para embarcar con rumbo a América.

Por otra parte, muchos judíos españoles, nacionalizados desde el año 1913 —hubo en esa época, me parece una Ley que autorizaba a los judíos descendientes de los que fueron expulsados de España, a nacionalizarse españoles y a ella se acogieron principalmente en Constantinopla— en los momentos peligrosos para ellos, al llegar los alemanes, se acogieron a nuestro Consulado y nuestro Cónsul General les trató como tales españoles. Y esto aunque se hayan explicado las causas al ocupante, no parece agradarle mucho, por tratarse de judíos, el enemigo nº 1, según sus declaraciones.

Todo esto unido quizá a sentimientos más bien anglófilos, han hecho que la actuación de nuestro Cónsul General haya sido seguida de cerca, con prevención que culminó en la entrevista de que le hablo y que expongo a V.E. para que, con su superior conocimiento, autoridad y experiencia, decida lo que crea conveniente.

Nota del 10 de mayo.

Respecto al asunto del Cónsul General, estima el Embajador que, dadas las condiciones de honorabilidad, bondad y trabajo que concurren en dicho diplomático, deberíamos llevar al ánimo de los alemanes que quizá fuese más conveniente continuase el Sr. Rolland y no exponernos a que, en su lugar, envíen otra persona que no llegaría, ni con mucho, a reunir las cialidades que rodean al actual Cónsul General, Añadió el Embajador que, seguramente, un toque de atención por parte del Ministro de Asuntos Exteriores sería lo suficiente para que el Sr. Rolland cambiase su línea de conducta con respecto a los judíos, nacionalizados españoles, así como con respecto a las Autoridades de ocupación.

Madrid, 21 de mayo de 1942.

I5·F2

B.E.

CONSULADO GENERAL DE ESPAÑA
EN FRANCIA

.aris, 13 de Julio de 1942.

N° 514

EUROPA

ASUNTO : Dando cuenta nuevas medidas
represion terrorismo adoptadas por Autoridades ocupantes

B1

Excmo. Señor.

Muy Señor mio : Para el debido conocimiento e informacion de
V.E. tengo la honra de remitir el recorte de prensa que se
acompaña, en donde aparecen las nuevas medidas adoptadas el
10 del corriente por las Autoridades alemanas, en vista de los
recientes atentados cometidos contra miembros del Ejercito de
ocupacion y por los diferentes actos de sabotaje registrados.
Las recientes severas medidas se refieren a los familiares de
los culpables en vista de que las que hasta ahora se venian
adoptando contra los rehenes no han tenido eficacia suficiente.

Dios guarde a V.E. muchos años

EL CONSUL GENERAL.

Bernardo Rolland

35=

EXCMO. SEÑOR MINISTRO DE ASUNTOS EXTERIORES

M A D R I D

Fuente: A.M.A.E., R., leg. 1.716: Despacho dirigido por el Cónsul General Bernardo Rolland al Ministro de Asuntos Exteriores, París, 13 de julio de 1942.

B.B.

Paris, I5 de Julio de I942.

Nº 520

EUROPA

ASUNTO : Nuevas medidas adoptadas con respecto judios.

Excmo. Señor.

Muy Señor mio : Para el debido conocimiento de V.E. tengo la
honra de remitir el recorte de prensa que se acompaña, en el
que aparece lo dispuesto por la Ordenanza de las Autoridades
competentes de ocupacion, de fecha 8 del corriente, por la
que se prohibe a los judios acudir a los establecimientos
publicos y a los lugares que se enumeran.

De esta medida quedan exceptuados los judios súbditos
de los paises no ocupados por las fuerzas del eje, que hasta
el momento tampoco han sido obligados a llevar la estrella
de Sion.

Dios guarde a V.E. muchos años.

EL CONSUL GENERAL

Bernardo ROLLAND

EXCMO. SEÑOR MINISTRO DE ASUNTOS EXTERIORES :

M A D R I D

Fuente: A.M.A.E., R., leg. 1.716: Despacho dirigido por el Cónsul General Bernardo Rolland al Ministro de Asuntos Exteriores, París, 15 de
julio de 1942.

P 15/I.
Nº 284

Nota Verbal

La Legación de Suiza saluda atentamente al Ministerio de Asuntos Exteriores y tiene el honor de confirmarle el contenido de su Nota Verbal del 13 de Julio y otras anteriores, especialmente la Pro Memoria del 17 de Febrero, referente a un trato de favor que debe existir en cuanto a la aplicación de la legislación francesa a los judios españoles en Francia.

La Legación de Suiza agradecería al Ministerio de Asuntos Exteriores una contestación sobre el particular en el más breve plazo posible.

Madrid, 5 de Agosto 1942.

Al MINISTERIO DE ASUNTOS EXTERIORES,

Madrid.

Fuente: A.M.A.E., R., leg. 1716: Nota verbal dirigida por la Legación de Suiza en España al Ministro de Asuntos Exteriores, Madrid, 5 de agosto de 1942.

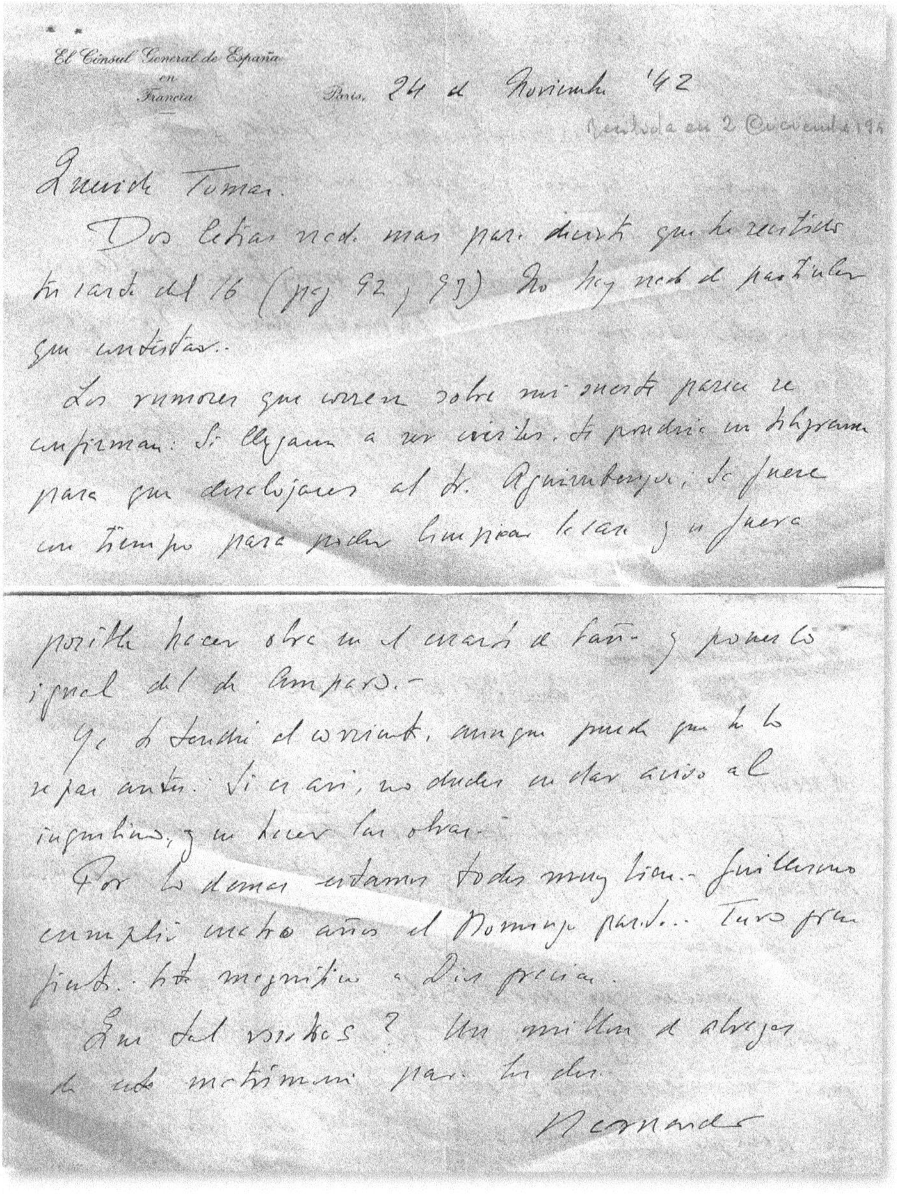

El Cónsul General de España
en
Francia

Paris, 24 de Noviembre '42

Querido Tomás,

[carta manuscrita]

Fernando

Fuente: Archivo familiar de Guillermo Rolland. Carta del Cónsul Bernardo Rolland a su cuñadoTomás, París, 24 de noviembre de 1942

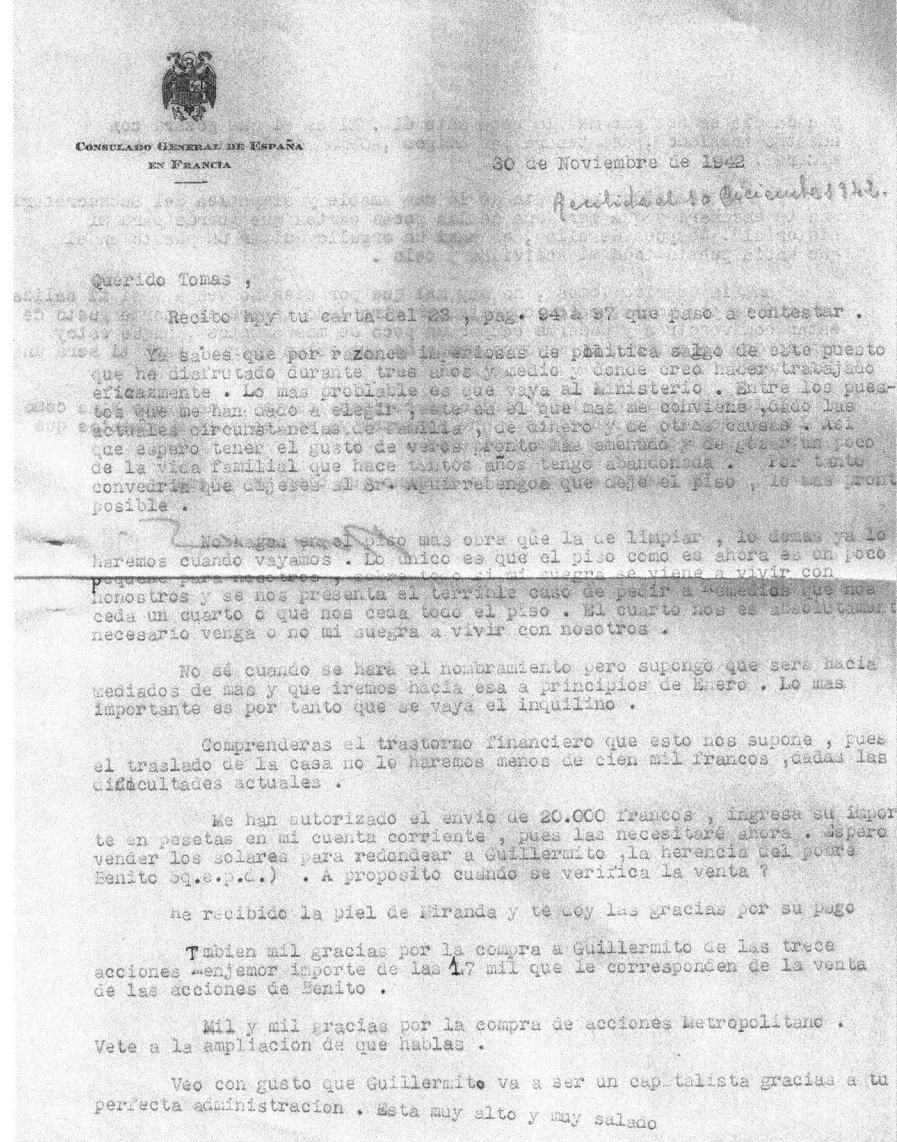

CONSULADO GENERAL DE ESPAÑA
EN FRANCIA

30 de Noviembre de 1942

Recibida el 10 diciembre 1942.

Querido Tomas ,

Recibo hoy tu carta del 23 , pag. 94 a 97 que paso a contestar .

Ya sabes que por razones imperiosas de política salgo de este puesto que he disfrutado durante tres años y medio y donde creo haber trabajado eficazmente . Lo mas probable es que vaya al Ministerio . Entre los puestos que me han dado a elegir , este es el que mas me conviene dado las actuales circunstancias de familia , de dinero y de otras causas . Asi que espero tener el gusto de veros pronto mas amenudo y de gozar un poco de la vida familiar que hace tantos años tengo abandonada . Por tanto convedria que dijeses al Sr. Aguirre tengos que deje el piso , lo mas pronto posible .

No hagas en el piso mas obra que la de limpiar , lo demas ya lo haremos cuando vayamos . Lo unico es que el piso como es ahora es un poco pequeño para nosotros , sobre todo si mi suegra se viene a vivir con nosotros y se nos presenta el terrible caso de pedir a Amedias que nos ceda un cuarto o que nos ceda todo el piso . El cuarto nos es absolutament necesario venga o no mi suegra a vivir con nosotros .

No sé cuando se hará el nombramiento pero supongo que sera hacia mediados de mes y que iremos hacia esa a principios de Enero . Lo mas importante es por tanto que se vaya el inquilino .

Comprenderas el trastorno financiero que esto nos supone , pues el traslado de la casa no lo haremos menos de cien mil francos , dadas las dificultades actuales .

Me han autorizado el envio de 20.000 francos , ingresa su impor te en pesetas en mi cuenta corriente , pues las necesitaré ahora . Espero vender los solares para redondear a Guillermito ,la herencia del pobre Benito 3q.e.p.d.) . A proposito cuando se verifica la venta ?

He recibido la piel de Miranda y te doy las gracias por su pago

También mil gracias por la compra a Guillermito de las trece acciones enjemor importe de las 17 mil que le corresponden de la venta de las acciones de Benito .

Mil y mil gracias por la compra de acciones Metropolitano . Vete a la ampliacion de que hablas .

Veo con gusto que Guillermito va a ser un capitalista gracias a tu perfecta administracion . Esta muy alto y muy salado

Fuente: Archivo familiar de Guillermo Rolland. Carta del Cónsul Bernardo Rolland a su cuñadoTomás, París, 30 de noviembre de 1942.

y cada dia se nos cae mas la baba ante él . El es el que gozará con
nuestro traslado ,pues tendrá mas amigos ,ademas de la familia que lo
mimará .

       He recibido una carta de lo mas amable y simpatica del Subsecretario
que te enseñaré y que será una de las pocas cartas que guarde para mi
historial . Despues de ella , es xxxx un orgullo quitar un puesto en el
que habia puesto toda mi actividad y celo .

       En fin querido Tomas , no hay mal que por bien no venga y si mi salida
de aqui me perjudica economicamente por otro lado, tendré el enorme gusto de
estar con vosotros y poderme ocupar un poco de mis asuntos ,aunque estoy
seguro que no estaran en mejores manos de que estan ahora . Para ti será un
descanso .

       Dile a Antonia que he recibido su cariñosa carta , que tanto Nina como
yo le estamos muy agradecidos y que pensamos ya en los buenos momentos que
pasaremos juntos en los años venideros .

       Un fuerte abrazo de tu hermano que bien te quiere

CONSULADO GENERAL DE ESPAÑA
EN FRANCIA

15 de Diciembre de 1942

Recibida el 28 Diciembre 1942.

Querido Tomas

Recibo tu carta del 7 de Diciembre pag. 100 · Veo que no has recibido aun el recibo firmado de los cupones Menjemor · La valija de aqui llega justo a Madrid despues de la salida de la de Madrid o sea que hace falta mas de 15 dias para obtener una contestacion ·

Veo con gusto que no hay ningun asunto de administracion de lo que me alegro mucho y con esperanza que esto dure · El unico asunto es;que el inquilino se vaya · Aun no ha llegado la orden de mi traslado y me temo que aun dure algunos dias ,pero de todos modos seria conveniente que ese Señor se vaya lo mas pronto y no nos haga dificultades al ultimo mento y me impida ocupar la casa a mi llegada a Madrid · Me dicen ahora que puede ser que se arregle todavia mi permanencia en este puesto , pero yo no lo creo · Por un lado me hace ilusion volver a Madrid y arreglar la casa y quitarme de enmedio todos los lios y jaleos d este puesto · El Subsecretario me ha escrito una carta emocionante asi que eso me compensa la perdida de es te puesto que en tiempos normales es jauja ·

Te devuelvo firmadoas las cuentas del mes

Me alegro muchisimo que Antonia esté muy bien · Tu cuidate como me cuido yo · Ya sabes el refran : en pasando de ....

Mil abrazos de

Bernardo

Fuente: Archivo familiar de Guillermo Rolland. Carta del Cónsul Bernardo Rolland a su cuñadoTomás, París, 15 de diciembre de 1942.

CONSULADO GENERAL DE ESPAÑA
EN FRANCIA
____

22 de Diciembre de 1942

(1) Recibida el 7 Enero 1943.

Querido Tomas ,

        Espero que habras recibido nuestro telegrama de anteayer por
el que te felicitabamos los dias . Lo mandamos por conducto de Hendaya y es
desear que llegase a tiempo para confirmarte que nos acordamos de ti   ,no
solo, siempre sino especialmente en los dias de fiesta .

        Llegó tu carta del 14 de Diciembre pag. 1 al 6 del nuevo libeo copia-
dor .
        Nada hay de nuevo sobre mi traslado . Nuevos rumores dicen que me
quedo, y yo , la verdad , ya tengo ganas que se decidan por una cosa o por
otra Esta incertidumbre es matadora . De todos modos seria bueno que al
inquilino se le hiciese marchar , pues si por ahora se para el golpe puede a
ser que este se inicie de nuevo y ma vale estar preparado . En mi ultima
carta te mandaba la carta para él , creo en los terminos que tu querias .
                    hace dias
        Te he devuelto firmado el recibo que me enviastes .

        Todo lo demas ya está contestado . Lo que siento de veras es que si a
vamos a Madrid , la victima será Remedios , pero comprenderá que en el piso
tal como e está ahora no nos podemos meter la familia y la suegra . Creo
que tendremos mas dificultades con el otro inquilino .

        No tengo ganas de tratar aguntos , asi que vaya nuestros desos de que
paseis unaa   felices Pascias y que el Año nuevo os traiga todo genero de
venturaa . Si nos reunimos todos , sea bien venido . Despues de todo aunqu
que pierdo en sueldo gano entranquilidad y podré vivir perfectamente entre
lo que tengo y mi sueldo en el Ministerio . Y si me tengo que ir a casa
me trasladaré a un pueblo donde haya sol continuo y viviré del aire .

        Mil abrazos de Nina y del chico . Supongo que Alberto Aguilar te
habrà entregado un modesto recuerdo que te enviamos por tu Santo y Xmas.
A Antonia , Nina le està buscando algo que le guste , sea practico y bonito
pero ahora parece hay muchas dificultades .

                Que 1943 nos traiga a todos mil felicidades y 1 Paz
universal .
        Un fuerta abrazo

Fuente: Archivo familiar de Guillermo Rolland. Carta del Cónsul Bernardo Rolland a su cuñadoTomás, París, 22 de diciembre de 1942.

208

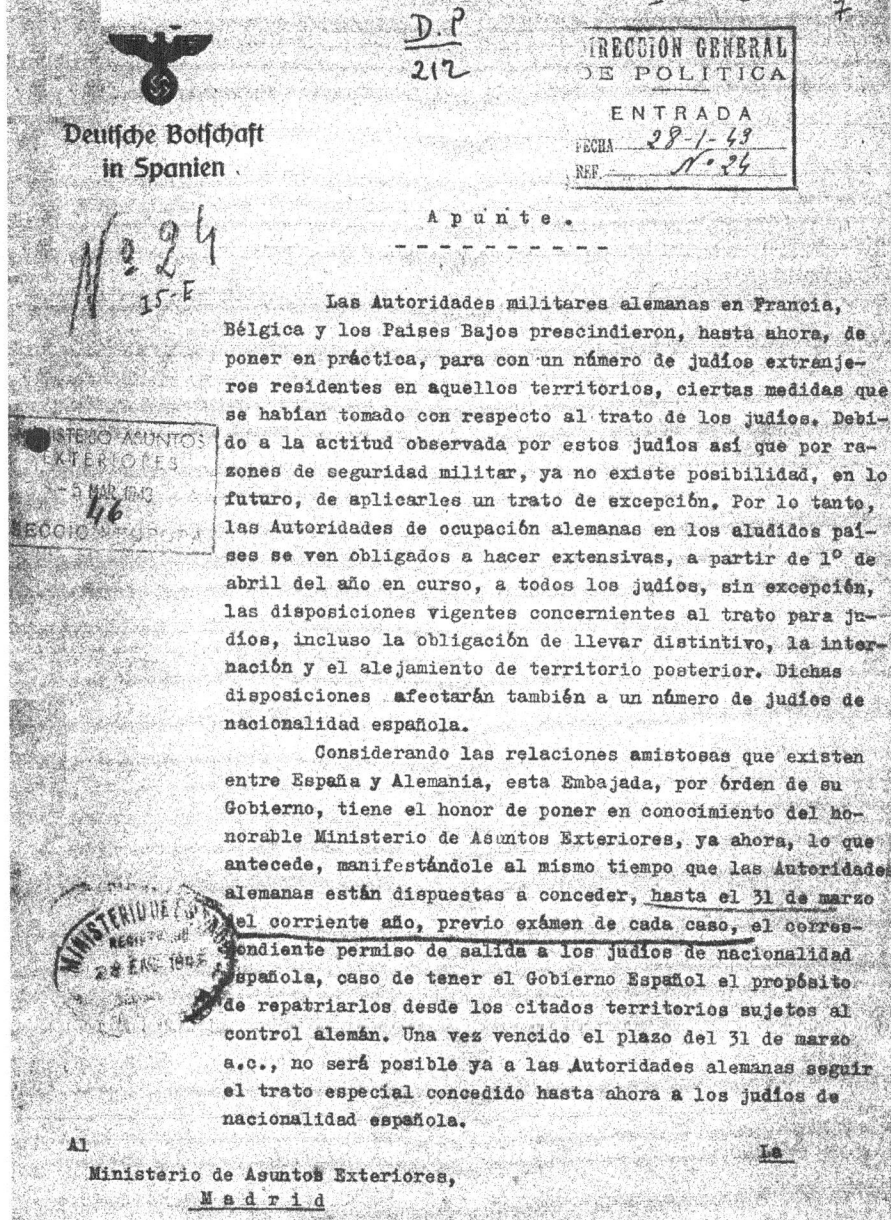

Fuente: A.M.A.E., R., leg. 1.716: Apunte dirigido por la Embajada de Alemania en España al Ministro de Asuntos Exteriores, Madrid, 26 de enero de 1943.

La Embajada de Alemania quedaría muy agradecida
al Ministerio de Asuntos Exteriores de una pronta comunicación sobre lo que el Gobierno Español haya tenido a bien
resolver con respecto a la repatriación a efectuar hasta el
31 de marzo a.c. de los judíos objetos de este apunte.

Madrid, el 26 de enero de 1943

Buen número de los nombres contenidos en esta lista se han repatriado
con anterioridad a esta fecha y se hallan actualmente en territorio nacional.

SEFARDITAS MIEMBROS DE

ESTA CAMARA

:(:-:-:-:-:-:-:-:-:-:-:

ABRAVANEL Y MODIANO José	150, rue de la Roquette	PARIS
ASSA Salvador	23, rue Paul Doumer	TROYES
ASCHER Y HASSID Leon	12, rue des Messageries	PARIS
ASCHER Y HASSID Samuel Alberto	"Maison Sama" 12, rue des Messageries	PARIS
ASCHER Y HASSID Isaac	"Maison Tribonne" 16 rue de la Tour d'Auvergne	PARIS
AZUELOS FORADO José	4, rue Beaurepaire	PARIS
ABRAVANEL MANO Ihno	"Office Central de Commission" 1, rue de Liège	PARIS
AVIGDOR Ezra	79, Avenue Thiers	LE MANS
ABENICAR BASSAN Rafael	35, rue de Bellefond (9°)	PARIS
AFTALION Alfredo	MORANNES (Maine-et-Loire)	
ASSAEL Vda CARASSO Buena	15, rue Poissonnière	PARIS
AGRINIER	Place du Marché	VILLEPARISIS
ABRAHAM Y JACOB Mauricio "Siciété SOCOM"	35 rue de Lubeck 17, rue Lasson	PARIS
AMARAGGI Samy	40, Bd. Bordon	NEUILLY S/ SEINE
BENVENISTE COBO Moises BENVENISTE COBO Atcher	Firma :"Sté Benveniste Frères,13 rue Dr.Goujon 9, Brd. Pereire	PARIS
BURLA YENI Leon	Firma :" Sentier Textile 129, rue d'Aboukir	PARIS
BENADON HANEN Saul	42 rue des Petites Ecuries	PARIS
BOTTON YENI Alberto	31, rue d'Hauteville	PARIS
BENVENISTE Mardoche	"Peggy" - Aux Galeries de la Motte-Picquet - 54,56 bis Avenue de la Motte-Picquet	PARIS

Fuente: A.M.A.E., R., leg. 1.716: Relación de miembros sefardíes pertenecientes a la Cámara de Comercio de España en París, 26 de febrero
de 1943.

BEMBASSAT COVO, Roberto	4, Avenue Parmentier	PARIS
BENVENISTE y SIMHA Rafael	266, rue St Honoré	PARIS
BEMBASSAT COVO, Moises	"Chez Baron" 11, rue Montyon	PARIS
BENAROYA y AZARIA Enrique	34, rue d'Hauteville	PARIS
BENVENISTE y BOTTON Haim	3I, rue de Cronstadt	PARIS
BENVENISTE BOTTON Jacabo	64, rue Mouffetard	PARIS
BEMBASSAT BOUCA Yechoua	I60, rue de Neuilly	ROSNY S/ BOIS
BEMBASSAT BEMBASSAT	6, rue Gustave Rouamet	PARIS
BENARROYA AZARIA Enrique	34, rue d'Hauteville	PARIS.
BENTOLILA GABISSON Yomtob	11, rue Lepic	PARIS
BENARROYA Leon	Sté Leon Bena & Cie 24, rue du 4 Septembre	PARIS
BENARROYA JONATAN Moises	4I, rue d'Amsterdam	PARIS
BASSAT E.	"La Bassatis" 4, Cité Griset	PARIS
BEMBASSAT Albert	6, rue Gustave Rouanet	PARIS
BEMBASSAT José	6, rue Gustave Rouanet	PARIS
BENADON David	42, rue des Petites Ecuries	BARIS
BENVENISTE Y SIMHA Mauricio	"Joseph Maurice & Cie" 13, rue Poissonnière	PARIS
BITTON Alfredo	22, rue des Arts	LILLE
CASAS, Salvador y Sra.	"Francis" 65, rue du Chateau d'Eau	PARIS
COHEN Y UZIEL Jacobo	"Lina" 4I, rue des Martyrs	PARIS
COHEN ep. BEMBASSAT Sara	"Chez Jeanne" 74 Bd. Ornane	PARIS
CARASSO MODIANO Isaac Jacob	"Harem" 255, rue St Honoré	PARIS
CARASSO Jaime	"Comptoir Général de Lingerie Fine" 17, rue Duphot	PARIS

CANETTI Y ROSANES Elias	"J.E.Canetti & Cie" 16 rue d'Orléans	NEUILLY
CASTRO Y CAIMO Hermann	"Biscuiterie Gloria 76,Bd. Victor Hugo	CLICHY
COHEN Nissim	"Ets. Paco" 28, rue de l'Entrepôt	PARIS
CAPUANO Gino	46, rue Baudin	PARIS
CHIPRUT Azaria	20, rue Baudin	PARIS
CALDERON Y ELISON Elia Salomon	"Abertys" 25, rue Tronchet	PARIS
DANON Felipe	151, rue de Ranelag	PARIS
DREYFUSS Y LEWEMBERG Enrique	"Ets. H. Dreyfuss" 46, rue des Moines	PARIS
DAINON	7, rue Rampal	PARIS
FERNANDEZ DIAZ Eduardo	"S.A.Colombia" 59 rue Miromesnil	PARIS
FEHER Y HEMARDINGUER Raimundo	Sté Faravit 12, rue de la Chaussée d'Antin	PARIS
FERNANDEZ DIAZ Eduardo	10, rue Daubigny	PARIS
FREUD FRANCO y Merasche [?]	74, rue d'Aboukir	PARIS
FORADO Vda. Azueles Alia	25, Frg St. Honoré	PARIS
GATTEGNO Lazaro	2, rue de Metz	PARIS
GATEGNO Y ASSAEL Enrique SAPORTA Y BEJA Enrique	"Paris Nouveautés" 11, rue du 4 Sept.	PARIS
GATTEGNO Y ANGEL Isac	13, rue de la Grande Chaumière	PARIS
GATTEGNO Isaac Samuel	"Tenora" 89, Bd Malesherbes	PARIS
GREGIAC SEVILLA Gaston	"Geray" 69, Bd. Barbès	PARIS
GRUMSPAN Mauricio	37, quai des Tournelles	PARIS
GORMEZANO Sra.	86, Bd. Barbés	PARIS
GATTEGNO Marco	37, rue de Maubeuge	PARIS

HASSID FERNANDEZ Edgard	Firma "Lape Ferna" 32 rue Hudry 52 rue Pierre Demours	COURBEVOIR PARIS
HASSID SALEM Renate	"Jereme" 27, rue du Caire	PARIS
HASSID BENVENISTE José	12 bis, rue Ste Isaure	PARIS
JESSUA MIRANDA Dora	2, Av. de la Porte Brunet	PARIS
JESSUA FERNANDEZ José	"Jane Vital" 23 rue d'Auteuil	PARIS
JAFFE Leon		
LEVY COHEN Emilio	101, Av. Emile Zola	PARIS
LEVY OJALVO Nissim	23 rue Basfroi	PARIS
MITRANI Y SADACCA Santiago	23 rue Tronchet	PARIS
MIZRAKI Alberto	Paramount Radio 45 rue de Maubeuge	PARIS
MITRANI Y SADACCA Santiago	"Reine Michel" 31 rue Tronchet	PARIS
MOHLO ANGEL Jaime	15 rue de Cléry	PARIS
MOLHO ANGEL Rafael	48 rue d'Aboukir	PARIS
MOLHO Lily	Maison " Liliane " 50, rue St Placide	PARIS
MOULIA Y OVADIA Raul	171 rue Lafayette	PARIS
MECHALI David	Place du Marché	VILLEPARISIS (S et M)
MOULIA Pablo	96 rue de la Follie Mericourt	PARIS
NAHMIAS Samuel	"Evelyne" 60 Avenue d'Orléans	PARIS
NAHUM CARASSO Alberto	"Anciens Ets Nalevansky" 9, rue Frg Poissonnière	PARIS
NAAR Y LEVY Salomón	"Maison Jurusalmi" 66 rue de Cléry	PARIS
NAAR LEVY Rafael	110 rue de Meaux	PARIS

NAAR Y CASTRO Alberto	5I, Av. de Suffren	PARIS
NAAR Sra de.	48, rue de Ponthieu	PARIS
NAHMIAS CAZES Elias Santiago	"Petrofrance et Petro-tankers" 8 rue de Berri	PARIS.
PEREZ Y AELION Salomon	29 bis rue de Sartrouville	ARGENTEUIL
PINHAS Y MILTRANI José TOLEDO Y PINHAS Isaie TOLEDO Y PINHAS Alberto	"Paris Lumière" 9, rue Saulnier	PARIS
POLITI José	"Sté Fofripil" 24 Frg Poissonnière	PARIS
PARFUMS GODET	Fábrica;I90, Bd St Denis Comercio : I98 rue de Rivoli	COURBEVOIE PARIS
PEREZ AELION Leon	95, Avenue Emile Zola	PARIS
RODRIGUEZ TOLEDO esposa BENSUSSAN Perla	6, rue Pigalle	PARIS
SADACCA BITTI Ricardo	327 rue St Martin	PARIS
SIMHA Jaime	6, rue d'Uzes	PARIS
SEMACH OVADIA Enrique	25 rue de la Chasse	BEAUCHAMP (S et O)
SAPORTA Y BOURLA José	Sté Bonneterie du Havre 3I Passage du Havre	PARIS
SAPORTA Y BURLA Mauricio	Ets. Solen 62 Brd Haussmann	PARIS
SAPORTA Y NAVARRO Jim Leon	3, rue Tronchet	PARIS
SEVILLA BEAR ep. MITRANI Carmen	"Philippe et Camer" 25 rue Tronchet	PARIS
SAPORTA Y BEJA Enrique GATTEGNO Y ASSAEL Enrique	"Paris Nouveautés 11 rue du 4 Septembre	PARIS
SAPORTA Y BEJA Nick	"Les Rissus Gassel" 6, rue de l'Echelle	PARIS
SAPORTA MAGRIZO Dario	37 rue de Eléry	PARIS
SAFARTI ep. JESSUA	"Nino" 19 bis rue Fontaine	PARIS

```
SEVILLA Moises                134 Brd Voltaire          PARIS

SCHNUR CHAJEMON David          45 Brd d'Auteuil     BOULOGNE S/ SEI

SONSINO SAMANON Jaime          Firma " Tapis d'Orient"
                               19 rue Bleue              PARIS

Sté RYS S.A.R.L                17 rue de la Boétie       PARIS

TREVES LEVY Samuel             Firma"FROUFROU"
                               8, rue La Boétie          PARIS

TOLEDO Y ROMANO Aaron          4, rue Popincourt         PARIS

TOLEDO Y ROMANO Simon          95 rue de Sedaine         PARIS

TOLEDO DALEM Julio             10 rue de la Paix         PARIS

TOLEDO Y PINHAS Isaie          "Paris Lumière"
TOLEDO Y PINHAS Alberto        9, rue Saulnier           PARIS
PINHAS Y MITRANI José

TOLEDO Y GIVRE Nissim          Maison Toledo
                               50 rue des Petites        PARIS
                               Ecuries

TAZARTES HASSID Enrique        "Pontremoli et Tazartes"
                               71, Av. Clemenceau
                               MEAUX  (S et O)           MEAUX

YACOEL Y BOTTON Jacobo         "Primamode"
                               17,Bd. St Martin          PARIS
```

216

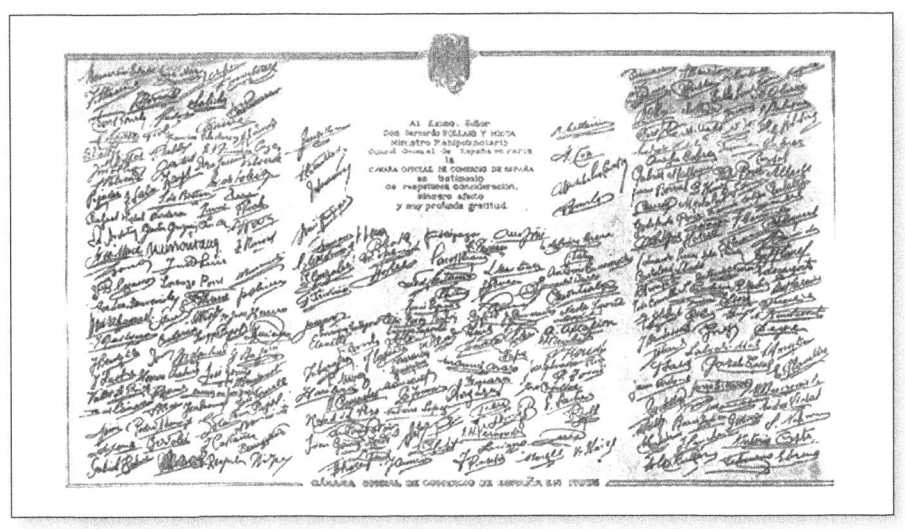

Fuente: A.M.A.E., R., leg. 1.716: Firmas de los miembros de la Cámara de Comercio de España en París, febrero de 1943.

32. AVENUE DE L'OPÉRA
PARIS
TEL.: OPÉRA 76-11

CÁMARA OFICIAL DE COMERCIO
DE
ESPAÑA EN PARIS
PM/RA/555

El que suscribe, Juan SERRA, Vicepresidente de la Cámara Oficial de Comercio
de España en Paris,

C E R T I F I C A :

que los súbditos españoles contenidos en la
lista aneja al presente escrito, son todos
miembros de esta Cámara y honorablemente
conocidos en ella y afirma igualmente que
en cuantas ocasiones la Colonia española
se ha visto en el caso de hacer un llama-
miento a su patriotismo y a su generosidad
en favor de obras españolas, han respondido
con el mayor entusiasmo y con el máximun
que les permitían sus medios.

Y para que conste y produzca todos los
efectos que desean los interesados, expido
la presente en Paris, a 26 de Febrero de
1943.

EL VICEPRESIDENTE,

J. SERRA.

Fuente: A.M.A.E., R., leg. 1716: Certificado del Vicepresidente de la Cámara de Comercio de España en París.

Embajada de España
en
París

T.4.

Nº /:

POLITICA EUROPA

ASUNTO: Referente Oficio de Embajada de España
en Berlín sobre sefárditas españoles.

Excmo. Señor :

Muy Señor mío :

El Cónsul General de España en París me envió un Oficio del Embajador de España en Berlín, comunicando instrucciones sobre la actitud a observar con los sefárditas de nacionalidad española residentes en Francia, Bélgica y los Países Bajos. Al Oficio acompañaba también un Apunte de la Embajada de Alemania en Madrid al Ministerio de Asuntos Exteriores.

Aun cuando en la zona de mi juridicción todavía no se ha presentado el caso aludido, envío copia del Oficio del Señor Embajador a nuestros Cónsules, indicándoles que en situación análoga se atengan a las instrucciones en ella contenidas que por emanar del Ministerio hago también mías mientras V.E. no disponga otra cosa.

Adjunto envío a V.E. copia del Oficio y Apunte aludidos.

Dios guarde a V.E. muchos años.

EL EMBAJADOR DE ESPAÑA :

José F. de Lequerica

EXCMO. SR. MINISTRO DE ASUNTOS EXTERIORES
M A D R I D

Fuente: A.M.A.E., R. legajo 1.716: Despacho dirigido por el Embajador de España en París al Ministro de Asuntos Exteriores, Vichy, 5 de marzo de 1943.

Deutſche Botſchaft
Spanien
Núm.6539g

A p u n t e .
=====================

      Con referencia a la conversación que el Ministro
Señor Hencke tuvo el honor de celebrar el día 25 de febrero ppdo. con el Director General de Política del Ministerio
de Asuntos Exteriores, Señor Doussinague, y en adición a
sus anteriores apuntes y conferencias verbales, relativas
a la salida de los territorios de soberanía alemana de
súbditos españoles de raza judía, la Embajada de Alemania
tiene el honor de comunicar al Ministerio de Asuntos Exteriores lo que sigue:

      Conforme a una instrucción recibida por la Emba-
jada de Alemania del Ministerio de Asuntos Exteriores de
Berlin, el Gobierno Alemán, bien a su pesar, no vé ninguna
posibilidad de autorizar la salida de los judíos de nacionalidad española, residentes en los territorios de soberanía alemana, con destino a sus países de origen o a
Portugal y los Estados Unidos, respectivamente.

                      Madrid, 6 de Marzo de 1943.

Fuente: A.M.A.E., R., leg. 1.716: Apunte dirigido por la Embajada de
Alemania en España al Ministro de Asuntos Exteriores, Madrid, 6 de
marzo de 1943.

EMBAJADA DE ESPAÑA
WASHINGTON

9 de marzo de 1943

Ref: Protección judíos de paises ocu-
     pados por Alemania.

No. 149

Excmo. Sr. Don José Pan de Soraluce
Subsecretario de Asuntos Exteriores
Ministerio de Asuntos Exteriores
Madrid, España

Mi querido amigo y compañero:

Adjunto le remito copia traducida de una carta que acabo de
recibir procedente del Rabino Maurice Perlzweig.

Como verá por su contenido, se trata de dos asuntos distintos, uno el envío de paquetes de alimentos con destino a los refugiados judíos en España, y, relacionado con ello, la posibilidad de enviar un Delegado de las Organizaciones judías en este
país para ponerse de acuerdo con nuestro Gobierno y facilitar la
distribución de dichos paquetes; y el segundo, el solicitar la
ayuda de España para obtener que Alemania permita salir de los territorios ocupados a los niños judíos, que varias naciones como
La Argentina, Suiza, Inglaterra y los Estados Unidos están dispuestas a recibir.

En las visitas que me ha hecho el Rabino Perlzweig, le he
escuchado con gran interés por parecerme que sería de muy buen
efecto el que le ayudasemos en este asunto, que además de ser

Fuente: A.M.A.E., R., leg. 1.716: Despacho dirigido por el Embajador de
España en EE.UU. al Subsecretario de Asuntos Exteriores, Washington,
9 de marzo de 1943.

una buena propaganda para España en nada cambiaría nuestra política con relación a los judíos, no gravándola tampoco en manera alguna, por no tratarse de que dichos niños se queden en España sino
de facilitarles su paso a otros paises.

Le agradeceré por lo tanto, mi querido Pan, el que estudie este asunto con el interés que creo merece, ya que me consta que el
mero hecho de haber recibido y escuchado al Rabino Perlzweig, ha
bastado para producir una reacción muy favorable a España en los
centros importantes judios.

Sin otro particular, me reitero como siempre suyo afmo. y
viejo amigo y compañero

                                    Juan F. de Cardenas
                                    Embajador de España

-1-

222

BI ⊘ℐₛ-ᢙℒ   4ᵈ

Berlin, 12 de Marzo de 1943.

EMBAJADA DE ESPAÑA
D/PG.   EN BERLIN

Núm. *176*   Asunto: Sobre medidas contra judíos españoles
POLITICA EXTERIOR

Excmo. Señor:

Muy señor mío: Con referencia a mis Despachos
núms. 95 de 11 de Febrero y 141 de 26 del mismo mes, sobre
la salida de los judíos españoles de Francia, Bélgica y Holanda, tengo la honra de pasar a manos de V.E. las fichas
que se refieren a los que dependen de los Consulados de la
Nación en Bruselas y Estrasburgo.

No tengo los datos del Consulado General en
París, donde radica la parte más importante de nuestra colonia judía -unas doscientas personas- pero supongo se los
habrá enviado directamente dicho Consulado.

Me permito recordar a V.E. que los israelitas
objeto de la medida de salida de los territorios indicados,
deben haberlos abandonado antes de final de este mes y que
convendría, por tanto, tuviera V.E. a bien darme telegráficamente y con la urgencia que requiere el caso, sus superiores instrucciones sobre las consultas que en mis Despachos
núms. 95 y 141 tenía la honra de hacerle.

Dios guarde a V.E. muchos años.

EL EMBAJADOR DE ESPAÑA

Señor Ministro de Asuntos Exteriores. M a d r i d.

Fuente: A.M.A.E., R., leg. 1.716: Despacho dirigido por la Embajada de España en Berlín al Ministro de Asuntos Exteriores, Berlín, 12 de marzo de 1943.

Paris, 29 de Abril de 1943.-

ASUNTO: Remitiendo copia oficio nº 28
Embajada a Berlín sobre sefarditas.

nº 335

P O L I T I C A

(Pasaportes)

Exmo. Señor:

Muy Señor mío: Tengo la honra de pasar a manos de V.E. para su debida conocimiento e información copia del oficio nº 28, que con esta fecha este Consulado General dirige a la Embajada de España en BERLIN, sobre las normas seguidas por este Consulado con respecto a la concesión de visados de entrada en España de los sefarditas.

Dios guarde a V.E. muchos años.

EL CONSUL ENCARGADO a.i. DEL
CONSULADO GENERAL,

Diego BUIGAS DE DALMAU

Exmo. Señor Ministro de Asuntos Exteriores   M A D R I D.

Fuente: A.M.A.E., R., leg. 1.716: Despacho dirigido por el Cónsul Encargado interinamente de España en París al Ministro de Asuntos Exteriores, París, 29 de abril de 1943.

1	Nissim LEVY Ojalvo	ZARAGOZA
2	Elias CANETTI Rosanes	"
3	Matilde Rosanes Vda. CANETTI	"
4	Mariana Sidi de CANETTI	"
5	Ruth CANETTI Sidi	"
6	Marcelo CANETTI Sidi	"
7	Rene HASSID Salem	Service militaire Seganga (Maroc)
3	Ana Neuman Broch de HASSID	ZARAGOZA
9	Pedro HASSID Nenman	"
0	Colette HASSID Neuman	"
1	Luis FRANCO Menasche	"
2	Cristina Estrugo de FRANCO	"
5	Moises BENVENISTE Covo	"
4	Rafael BENVENISTE Covo	"
5	Ester Carasso de BENVENISTE	"
5	Mardoche BENVENISTE BENVENISTE	2
7	Dudun Jesua BENVENISTE	"
3	Sara Simhaa Covo	"
9	Jacobo BENVENISTE BENVENISTE	"
0	Sol Simha de BENVENISTE	"
L	Arlette AMARIGLIO Benveniste	"
2	Isaac ASCHER Hassid	"
	Maria Benveniste de ASCHER	4
4	Jose HASSID Benveniste	Service militaire Seganga (Maroc)
5	Matilde Nahmias de HASSID	ZARAGOZA
3	Nissim BEMBASSAT BEMBASSAT	BURGOS
7	Fortunata Meschullam de BEMBASSAT	"
3	Laura BEMBASSAT MESCHULLAM	"
9	Roger BEMBASSAT Meschullam	"
0	Simona BEMBASSAT Meschullam	"
L	Alberto BEMBASSAT Bembassat	"
3	Jose BEMBASSAT Bembassat	"
3	Chapat BEMBASSAT Bembassat	"
L	Sara Cohen de BEMBASSAT	"
5	Roberto BEMBASSAT Cohen	"
	Juana BEMBASSAT Cohen	"
7	Rafael EISENBERG Echach	AVILA
3	Arna EISENBERG Halpern	"
9	David EISENBERG Halpern	"
0	Francisco MOLHO Molho	"

Fuente: A.M.A.E., R., leg. 1.716: Lista de sefardíes de nacionalidad española que formaron parte del convoy que viajó a España en agosto de 1943.

225

41	Jaime MOLHO Angel	VALLADOLID
42	Rosa de Toledo de MOLHO	"
43	Alberto GATTENO Uziel	"
44	Jaime FRANCES Levy	"
45	Julia Herrera de FRANCES	"
46	Juda COHEN Calamaro	"
47	Luna Uziel de COHEN	"
48	Jacobo COHEN Uziel	"
49	Clara Perahia COHEN	"
50	Elisa Scialom Capuano Vda de NAAR	"
51	Mauricio GRUNSPAN Schargno	Vitoria ?
52	Jose SAPORTA Saporta	Logrono
53	Ester Asseo SAPORTA	"
54	Daisy SAPORTA Asseo	"
55	Nora SAPORTA Asseo	"
56	Isaac BENOSIGLIO Salem	"
57	Matilde Hassid de BENOSIGLIO	"
58	Daisy BENOSIGLIO Hassid	"
59	Nina BENOSIGLIO Hassid	"
60	Raoul BENOSIGLIO Hassid	Service militaire MADRID
61	Moises BENAROYA Jonatan	Logrono
62	Fani Almalech de BENAROYA	"
63	Nissim de TOLEDO Givre	"
64	Rosa Givre Vda. de TOLEDO	"
65	Eliezer CARASSO Hassid	Toledo
66	Matilde Amario de CARASSO	"
67	Alegre CARASSO Amarillo	"
68	Ester Nahmias Vda.de FARAGGI	"
69	Azaria CHIPRUT Behar	"
70	Dora Miranda de JESUA	"
71	Jaime JESUA Miranda	"
72	Susana JESUA Miranda	"
73	Wulf DAINOW Wilensky	Granada
74	Maria Dicker de DAINOW	decedée le 14 Aout à Irun
75	Eva Dainow de TIZON	Granada
76	Miquel DAINOW Dicker	Service militaire à CADIX
77	Josefa Gonzalez de DAINOW	Granada
78	Alberto AVIGDOR Canetti	Service militaire SEGANGA (Maroc)
79	Rolando GORMEZANO Tarragano	" " BARCELONA.

En plus dans convoi se trouvait Victoria Mordehay Nat. Ottomane BURGOS

ÍNDICE GENERAL